# Nicolas Born
# Die Welt der Maschine
# Aufsätze und Reden

Herausgegeben von
Rolf Haufs

UNIVERSITY LIBRARY
NOTTINGHAM

Rowohlt

«Die Sprache der Lyrik. Ein Gespräch» abgedruckt mit
freundlicher Genehmigung von Manfred Voigts,
«Antrittsrede vor der Akademie der Wissenschaften und
der Literatur in Mainz» mit freundlicher
Genehmigung der Akademie der Wissenschaften
und der Literatur, Mainz.

1. Auflage Oktober 1980
Copyright © 1980 by Rowohlt Verlag GmbH,
Reinbek bei Hamburg
Alle Rechte vorbehalten
Umschlagentwurf Manfred Waller
Gesamtherstellung Clausen & Bosse, Leck
Printed in Germany
ISBN 3 498 00462 x

# Inhalt

## III. Reden

# 1. Die Welt der Maschine

# (Autobiographie)

Ich bin 1937 geboren in einer Stadt wie Duisburg; es war die Stadt Duisburg, da ist es passiert. Das Ruhrgebiet war meine Heimat, als ich aufwuchs, aber ich glaube, das bedeutet nicht viel. Ich habe auch das Ruhrgebiet nicht richtig verstanden, hatte manchmal den Eindruck, es sei überhaupt unverständlich. Andere meinten später, das Ruhrgebiet müsse für einen Schriftsteller eine Goldgrube sein; für mich war es eher eine Fallgrube. Eines Tages bin ich aus dem Ruhrgebiet getürmt, obwohl ich mich sicher vom Dreck und von den Bildern vom Dreck nicht lösen konnte, jedenfalls bin ich nie richtig sauber geworden und das Ruhrgebiet holte mich immer wieder ein. Es geht zwar nicht mehr unter die Haut aber unter die Fingernägel; der Steinstaub bleibt für alle Zeit auf den Stimmbändern. Ich bin unzufrieden geblieben. Vielleicht ist das ein chronischer und krankhafter Zustand, der mich aber (wahrscheinlich) zum Schreiben gebracht hat.

Ich weiß genau, daß es altmodisch klingt, aber Schreiben hat sicherlich etwas mit Magie zu tun. Schreiben besteht aus Beschwörungsformeln, die Wirklichkeiten oder Tatsachen in Bann schlagen sollen. Es ist ein Modifizieren dieser Tatsachen, ein Durchlöchern dieser Tatsachen, ein Überbelichten dieser Tatsachen, ein Überwinden dieser Tatsachen. Daß dieses Überwinden der Tatsachen in einem kulturellen Sektor der Gesellschaft, der Literatur geschieht, ist auch der größte Mangel der Literatur. Dingwörter sind nicht die Dinge selbst. Aber es gibt da eine interessante Wechselbeziehung zwischen den Dingen und ihren verbalen Entsprechungen. Der dingliche oder besser faktische Sektor ist nicht säuberlich getrennt von dem verbalen. Ein Ding ist erst zu begreifen durch einen Begriff, durch das benennende Wort. Wenn mir jemand eine Person oder eine Landschaft beschreibt, die ich dann nachher kennenlerne, vergleiche ich meinen Eindruck mit der Beschreibung oder vergleiche die Beschreibung mit meinem Eindruck. Eine Situation kann ich nur genau bewerten, wenn mir gleichzeitig eine Art überwirkliche Entsprechung aus Worten oder Bildern vorschwebt, ja die ganze Wirklichkeit, wie sie von mir erfahren wird, braucht ein Überbild von sich selbst in meinem Kopf.

Um diesen Zusammenhang zwischen der Realität und den Möglichkeiten unseres verbalen Systems zu erläutern und auch, daran gekoppelt, die Notwendigkeit utopischer Wunsch- und Gegenbilder zur herrschenden Realität zu zeigen, habe ich in meinen Gedichtbüchern solche Nachbemerkungen geschrieben.

Wenn ich in einem Gedicht geschrieben habe, «Kunst heißt das Leben mit Präzision verfehlen», meinte ich, abgesehen davon, daß der Ausdruck etwas fremdartig und provozierend ist, daß Kunst nicht eine Kopie des Lebens sein soll, nicht eine Fälschung von Meisterhand sein soll. Aber das Leben muß *mit Präzision* verfehlt werden, Kunst darf nicht einfach am Leben vorbeigehen. Sie muß das Leben verfehlen in gleichzeitig sicherer und gefährlicher Distanz.

Es gibt Theoretiker und auch Schriftsteller, die die Forderung erhoben haben, der Schriftsteller habe den passenden Realismus zur jeweiligen Realität zu liefern. Diese Forderung klang zwar etwas anders, war aber so gemeint, wie ich sie ausgedrückt habe. Ich finde dagegen, daß der Schriftsteller seine Phantasie benutzen soll, um Träume, Visionen und Wünsche zu artikulieren, daß er eine mögliche oder sogar unmögliche Gegenrealität entwerfen soll, damit unsere einzige, *die Realität* transparent wird, gemessen werden kann an *Besten*. Das Mögliche muß sich im Trommelfeuer der Medien erst wieder einführen und revoltieren gegen das abgekartete Spiel der Fakten.

Als Kinder hatten wir einen radikalen und absoluten Anspruch an die Welt: den Anspruch auf Glück, Unsterblichkeit. Dieser Anspruch muß wieder eingeführt werden. Erst dann werden wir uns voll bewußt, was wir alles entbehren und um was wir alles betrogen sind.

# Die Welt der Maschine

Leute sagen, der Mensch müsse als Gattung eines Tages von der Erde verschwinden wie jede andere Gattung auch. Es klingt kokett, ist aber dennoch wahr, soviel wir wissen. Demnach wäre die Frage, wann er zu verschwinden hat, zweitrangig; jede Stunde wäre gleich recht und gerecht. Wissenschaftler bevorzugen gelegentlich den Sarkasmus: mit welchem Recht wir eigentlich glaubten, auf uns, die Menschen, komme es an. Wir können aber nicht hinter uns kommen. Wir haben uns daran gewöhnt, auch im vollen Bewußtsein unserer Armseligkeit, uns selbst als Sammelbecken allen Sinns zu sehen. Als Gattung haben wir gelernt, um unser Leben zu kämpfen, wie auch es hinzugeben oder aufzugeben. Erfahren haben wir, daß wir zu allem fähig sind, und also kann es keinen Menschen geben, der wegen seiner Ruchlosigkeit kein Mensch mehr wäre. Er ist es in jedem Fall. Der Ruchlose kann aber seiner Natur und Entwicklung nach nicht immer ruchloser werden. Caligula war es, und Hitler war es auch. Daß der letztere soviel mehr Menschen töten ließ, hat nichts zu tun mit größerer Ruchlosigkeit, sondern mit den zu seiner Zeit größeren Werkzeugen. Der Vernichtungswille multipliziert sich sozusagen mit der Kapazität der Vernichtungsmaschine.

Wir können sicher sein, daß jede Generation eine Unzahl voll ausgebildeter destruktiver, oder wie Erich Fromm es ausdrückt, «nekrophiler Charaktere» hervorbringt. Sie müssen nicht unbedingt straffällig, nicht einmal unbedingt erkannt werden. Sie können ebenso gut als unbescholtene, harmlose Bürger in Agonie leben und in Euphorie sterben, ohne je die großen Werkzeuge, die sie zu *Großem* befähigt hätten, gesehen zu haben.

Daß die Elemente, auch in ihren handlichen Formen, im Guten wie im Bösen nützlich sein können, ist ein Gemeinplatz sicher schon seit dem *gezähmten Feuer*. Mit einem Beil kann man Holz spalten, aber auch dem Bruder den Schädel. Menschen hatten das Beil in beiden Fällen und jederzeit fest im Griff, und niemand wäre auf die Idee gekommen, ihm Verdienst oder gar Schuld zuzuschreiben. Mit einem Brotmesser kann man töten; mit einem Schwert kann man einen Mantel teilen.

Wir leben in einer Zeit größter Werkzeuge. Die nationalen und multinationalen Industriekonzerne sind zu gigantischen Werkzeugmonopolen geworden und damit auch zu einem, oft entscheidenden, politischen Werkzeug. Sie selbst haben, institutionell, eine normative Überfunktion aus sich selbst heraus entwickelt, die uns prägt und unterwirft. Die gewählten Regierungen und Parlamente bestätigen oft nur per Gesetz, was die *Megamaschine* zu ihrer eigenen Expansion an «Sachzwängen» produziert hat. Zwar bestimmen nach wie vor die Eigentümer der Werkzeuge den möglichst profitablen Kurs, aber auch sie, befangen und gefangen in ihrem Begriff von *Sachdienlichkeit* und Fortschritt, haben nicht mehr die volle Entscheidungsfreiheit über die Art und Weise der Produktion, geschweige denn über deren Folgen. Die Kapazität der Werkzeuge und Produktionsstätten *zwingt* sie zu immer größeren und schnelleren Programmen. Der (innere) Systemzwang des Zuwachses herrscht. Niemand ist mehr in der Lage zu bestimmen, ob eine Technologie den Menschen zum Vor- oder Nachteil gereichen wird; niemand beherrscht die Megamaschine, vielmehr beherrscht sie alle. Selbst die gewerkschaftlichen Tarifpartner haben sich, ganz im Sinne der Vollbeschäftigungsideologie, ihren Zwängen unterworfen. *Mitbestimmung*, sogar Verstaatlichung wären wahrscheinlich kein Ausweg mehr aus diesem Dilemma. Mit den ersten *Generationen* der *Schnellen Brüter* (man spricht tatsächlich von Generationen) und der Amtscomputer wird diese Entwicklung einen Höhepunkt erreichen auf dem Wege zur Entmündigung des Menschen. Schon heute werden einzelne wegen ihres «Datenprofils» festgenommen oder anderen Repressalien ausgesetzt. Das kann durchaus auch präventiv geschehen, theoretisch gleich nach der Geburt. Ein Schneller Brüter kann, wenn er erst einmal arbeitet, nicht ohne großen wirtschaftlichen Schaden ausgeschaltet werden.

Der industrielle Riesenwuchs hat aus sich selbst heraus Verhaltensmuster für die menschliche Gesellschaft gebildet. Dem einzelnen hat sie sein Werkzeug entwunden und ihn abhängig gemacht von ihrem Monopol. Die handwerklichen Fähigkeiten, die einmal aus ihrer Notwendigkeit auch Lebenssinn hervorbrachten, sind vergessen, verkümmert und abgedrängt in den Untergrund der *Heimwerker*, den Hobbykeller, wo industriell vorgefertigte Materialien mit pseudoindividuellem Schliff versehen werden: eine reflexhafte Beschäftigung, ein bloßes Simulieren von Selbstverwirklichung.

Gleichzeitig wird immer deutlicher, daß der emanzipierende Effekt der industriellen Entwicklung verbraucht ist. Man kann ihn vereinfachend auf Kühlschrank, Waschmaschine und Fernseher reduzieren, Gegenstände, die allerdings die Hausfrau aus ihrem Berufsbild erlöst haben, wenn auch ihr Lohn großenteils wieder einfließt in solche arbeitserleichternden Geräte und in die Anschaffung von immer neuem pervertiertem Heimzeug.

Mit jedem Massenprodukt wird auch ein neues Massenbedürfnis produziert. Es ist kein Euphemismus, diesen rasch eskalierenden Dauerzustand von Bedürfnis und Befriedigung, in dem das eine das andere in mechanischer Folge hervorbringt, als Sucht zu bezeichnen. Und eine Gesellschaft von Kranken und Süchtigen kann schon ein angedrohter Stromausfall oder der Entzug des abendlichen Fernsehprogramms in bedrohliche Krampfzustände versetzen. Jedes Opfer, außer dem Verzicht, erscheint dann gering, wenn nur die Dosis, die für ein ungestörtes Siechtum notwendig ist, wieder pünktlich eintrifft.

Die industriellen Werkzeuge selber sind die Groß-
macht, auch da, wo eine zentralistische Administration
noch scheinbar über sie triumphiert; von wem und
durch wen denn sonst bezieht sie ihre Macht? Den
großindustriellen Werkzeugen haben wir die Züchtung
einer besonderen Rasse zu verdanken, die Technologen
und Technokraten. Ihnen haben wir unsere selbstvergessene unbegrenzte Konsumierfähigkeit zu verdanken und
unsere dauernden Mangelgefühle. Sie haben menschliche
Gedanken, Vorstellungen und Taten in totale Abhängigkeit gebracht, indem sie Maß und Wert jeder Arbeit, jedes Gegenstands, jeder Zeit bestimmen. Der einzelne
und seine noch nicht in der Megamaschine vervielfältig-
ten Fähigkeiten kommen nur noch als Entschuldigung
vor, als «menschliches Versagen». Die Megamaschine
hat die Sprache auf ein Informationssystem herunterty-
pisiert; die Sprachlosigkeit ist laut, das Schweigen zu einem Nicht-sprechen-können geworden. Wir sind, wie
Ivan Illich es ausgedrückt hat, «dem Slogan verfallen»,
einem Krücken- und Prothesenangebot zur Selbstver-
lautbarung. Im Kulturbericht Reizschübe, Ereignis-
Kampagnen und Neuigkeitsparolen, bunt, knallig, nicht
um die Sinne zu bilden, sondern um an die Nerven zu
gehen. Alles auf kürzestem Weg direkt zum Verbraucher, Watt- und Phonzufuhren, Farb- und Temperatur-
schwemmen.
Ist die allgemeine materialistische Formel unsere eigentliche Natur? Ist die Megamaschine unser aller Werk,
das wir von Beginn an in uns getragen haben? Ermöglicht  sie uns endlich in Gestalt *Großer Brüder* und
*Schneller Brüter* den sowieso und immer beabsichtigten
Abgang? Und ist das kritische Räsonieren, ist die Sprache in ihrer schönen Widerständlichkeit nur 'der Abge-
sang?
Wenn alles unsere Natur ist, Triebbestimmung, schwer
verständliches Stammhirn, schwer zu ertragendes Groß-
hirn, letzlich unverständliche Existenz überhaupt, dann
ist Widerstand ebenso sehr von unserer Natur. Kein be-

stimmtes, dumm herbeigeführtes Ende ist als Orakel festgeschrieben, weder in einem göttlichen noch in einem genetischen Code.

Der österreichische Schriftsteller Heimito von Doderer hat in seinen Tagebüchern häufig von einer «zweiten Wirklichkeit» gesprochen. Gemeint ist damit eine auf unsere Oberflächenwahrnehmung spezifizierte Scheinwirklichkeit von verminderter Konzentration, hergestellt bzw. vermittelt von den Medien, den Schaltstellen unseres öffentlichen Lebens. Diese zweite Wirklichkeit ist eine verträglichere, in Kategorien, Bewertungsskalen und Chiffren transformierte, gekürzt auf eine komplexe Halluzination. Sie ist eine Übereinkunft, ein allgemeines Äquivalent der Dinge wie das Geld. Doderers Absicht war es, diese Verbindlichkeiten abzustreifen, um sie beschreiben zu können, und vor allem die unermeßliche Tiefe der eigenen Wirklichkeit und der der Dinge wieder beschreiben zu können. Vielleicht war diese Aufgabe zu Doderers Zeit schon unlösbar. Heute ist die zweite Wirklichkeit von den Industriemonopolen um- und ausgeschaltet worden zu einem, so scheint es jedenfalls, unentrinnbaren Labyrinth, zu einem Spiegel, in dem der Abglanz aller Dinge ruht, einem psychedelischen Raum kalkulierter Reize, Süchte und Vibrationen. Hier ist mit Hilfe der neuen Freizeit- und Kulturindustrien die gesamte Wirklichkeit auf den Slogan gebracht worden. Auf dem Projektionsschirm, der unsere Wahrnehmungsfähigkeit luftdicht abschließt, *empfangen* wir ein Welt-Surrogat, eine Täuschung, die die Wirklichkeit aufzuheben scheint. Unsere Bedürfnisse richten sich immer genauer nach ihrer Befriedigung. Die Täuschung ist wirklich geworden, wirklicher. Wir vernehmen die Verlautbarungen der Megamaschine in unserer (unserer?) eigenen Sprache: «Wir produzieren Sicherheit» (Bundeswehr); «Wenn die Industrie wieder investiert, dann produziert sie zuerst neue Arbeitsplätze»; «Mehr Auto für weniger Geld»; «Ohne Atomkraft geht es nicht».

Kaum jemand glaubt mehr, daß sich dahinter eine tatsächliche Wirklichkeit verbirgt. Wir verfallen dem Reflex, dem Signal, dem Slogan. Die Produkte selbst haben Täuschungscharakter insofern, als die Maschine menschliche Arbeitsweisen imitiert, nicht nur das, sie verarbeitet auch synthetische Materialien nach Art teuer gewordener natürlicher; sie imitiert Struktur und Konsistenz von Holz, Stein, Leder, Gummi etc., und auf diese Weise können wir in den Produkten unsere mumifizierten Erinnerungen erkennen.

Mit der Betonierung des Landes zugunsten florierender Bau- und Autoindustrien ist kulturelle Bewegungsfreiheit verlorengegangen. Mit der Vernichtung des Handwerks sind nicht nur Handwerkzeuge und die zu ihrer Benutzung in vielen Generationen erlernten und erfühlten Fertigkeiten verschwunden, sondern auch ein ganzer Zweig sprachlicher Ausdrucksfähigkeit.

Die eingepaßte Funktion fast jedes einzelnen in der Industriemaschine zwingt ihn zu immer rationellerem Verhalten. Er hat vieles zu vergessen; viele Möglichkeiten seines Körpers und Geistes sind auch als Möglichkeiten abgestorben. Die Maschine erzwingt ein verstümmeltes Sprechen. Die Entspannungszeiten, Pausen zur Wiederherstellung der vollen, auf den Lauf der Maschine gerichteten Konzentration sind betriebspsychologisch und sozialmedizinisch errechnete Normen. Das Charakteristische an dem Kollegen nebenan ist seine Automarke oder sein Urlaubsziel. Seine Lust- oder Unlustgefühle haben auf den Lauf der Maschine keinen Einfluß, und er hat auch kaum Gelegenheit, andere auf seinen Zustand aufmerksam zu machen. Er hat gelernt, daß ihn bestimmte Vorstellungen, Gedanken und Tagträume teuer zu stehen kommen, also hat er sie abgeschafft. Er hat seine Wahrnehmung und seine Lebensäußerung auf das Notwendige reduziert, und das Maß dafür bestimmen Tempo und Arbeitsweise der Maschine.

Mit dem Lebenssinn, den die Megamaschine definiert und den sie, überlegen, nur auf sich bezieht, schwinden auch die Sinne für Wahrnehmung und Erfahrung. Auch in seiner «freien Zeit» gehorcht der einzelne den Anforderungen der Maschine, indem er sich auf dies oder jenes angebliche Interessengebiet derartig spezialisiert, daß ein zusammenhängendes Erleben unmöglich wird. Die Faktizität der Werkzeugmonopole und ihres Ausstoßes ist lückenlos; sie wird «alles und jedes» für ihn, und er fängt an, die Meditation über *Un-Dinge*, die er nur noch ahnt, zu verachten; er verachtet die eigene Innerlichkeit, empfindet sie nur noch dumpf als Beunruhigung und Störung, als eine hoffnungslose, schwache und unbekannte Kraft. Er sagt lieber, daß er schlechte Laune hat; die braucht er weder zu erklären noch zu ergründen.

Mit Hilfe der Megamaschine ist nicht nur eine totalitäre zweite Wirklichkeit errichtet worden, sondern auch eine zweite Natur, eine Über- oder Unnatur, unatembare Luft, untrinkbares Wasser, unfruchtbarer Boden. Die altbekannten Naturgewalten sind weitgehend entschärft worden; an ihre Stelle treten die neuen, nuklearen. Auf welche Weise müßten wir mutieren, um dagegen den Kampf erneut aufnehmen zu können?

Hochtrainierte *Versuchsleiter* werden auf eine Bevölkerung angesetzt, die aus *Testpersonen* besteht. Die industriellen Monopole sind damit beschäftigt (unter Beihilfe des Staates), die Menschen an diese Verhältnisse zu gewöhnen, sie im Auftrag zielgerecht zu konditionieren, ihr Verhalten endgültig steuerbar zu machen. In wessen Auftrag? Beauftragen die Eigner der großen Werkzeuge vielleicht ihrerseits im Auftrag? In wessen? Ich komme nicht umhin, die Megamaschine zu dämonisieren – in ihrem Auftrag. Sie allein verkörpert alle lebensfeindlichen Bedingungen und Sachzwänge. Sie erhält den tödlichen Zuwachskrampf aufrecht, in dem die westlichen Gesellschaften mehr und mehr erstarren.

Der ganze Sinn der Megamaschine liegt in ihr selbst. Ihr Sinn ist es, zu wachsen und immer mehr menschliche Arbeitskraft abzustoßen. Die menschliche Arbeitskraft wird immer entbehrlicher und damit untauglich für die Produktion. Ihre Tendenz ist es, herauszufallen aus dem

Zusammenhang. Wenn aber nun der einzelne als Produzent seinen Sinn verliert, auf welchen Sinn kann er sich dann noch als *Verbraucher* berufen?

Als Verbraucher, Konsument, Sachbeschädiger und Vertilger wird er durchleuchtet. Aus dem unbekannten, unberechenbaren Wesen, das in der Vergangenheit die Geschäfts- und Verwaltungsrisiken mehrte, in seiner Begehrlichkeit den Lauf der Maschine hemmte, der zuviel oder zuwenig verbrauchte, sich dumm stellte oder Fehler machte und deshalb nicht mehr *wirtschaftlich* war, wird eine bekannte Größe, transparent und kalkulierbar, eine Lochkartenexistenz, eine vollkommen durchsichtige Hülle, ein *input-* und *output-*, ein *Rückkoppelungswesen*. Seine verbleibende individuelle Formel ist auch bekannt (ein winziges *Restrisiko*, das *beherrschbar* ist) und in Datenbanken gespeichert. Partielle Unangepaßtheit erscheint als *Verhaltensstörung*; besondere Resistenz gegen das Diktat der Maschine als *kriminelle Energie*. Aber in einem geschlossenen System geht nichts mehr verloren. Kranke und Kriminelle im Sinne eines ungestörten Marktes dienen wiederum als Rechtfertigung für eine wachsende Kontroll- und Medizinalindustrie. In dem Maße, in dem menschliche Arbeit knapp wird, wird auch das Arbeithaben aus guten Gründen zum Fetisch. Wenn Arbeit *in* der Megamaschine auch schon lange leer ist von Lebenssinn, von eingesehener Lebensnotwendigkeit, wenn auch der Arbeitsbereich des einzelnen immer mehr eingeengt wird auf eine *Teilfunktion*, so bietet sie doch wenigstens noch minimale Sicherheit, und der Erwerb *verspricht* zumindest ein freies Verfügen über die freie Zeit. Noch immer ist auch solche Arbeit Bindeglied an die, wenn auch noch so entfremdete, Realität der Produktion; ohne sie versinkt der einzelne schutzlos in den Fluten des Marktes und der zweiten Wirklichkeit. Das Leiden an Arbeitslosigkeit und die vielfältigen Gründe dafür zu analysieren, ist hier nicht der Platz. Immerhin bedeutet aber eine Massenarbeitslosigkeit Gefahr für die Megamaschine und mehr noch für die politischen Mandatsträger.

Die Folgerung daraus besteht abermals in einem neuen Industriezweig: Programme zur *Arbeitsbeschaffung*. Die Eigner der Großen Werkzeuge werden mit Subventionen und Steuerpräferenzen gereizt, in noch ungenutzte Richtungen zu expandieren und branchenweise wieder *lohnintensiver* zu wirtschaften. Eine solche Rechnung, ein solches Geschäft geht jedoch nicht auf. Da alle Subventionen und Investitionen wiederum dem Sinn der Maschine verfallen, d. h. letztlich der Rationalisierung dienen, werden dadurch Arbeitsplätze für Menschen nur kurzfristig geschaffen um den Preis langfristig noch größerer Arbeitslosigkeit. So subventioniert die Bundesregierung ein Computerprogramm, durch das der einzelne mit einem Zusatzgerät zum Fernseher seine Verwaltungsangelegenheiten selbst in die Hand nehmen soll.* Scheinbar, denn in Wahrheit erledigt er nur, unbezahlt, die Arbeit der Büroangestellten und des Behördenpersonals als Partner der Datencomputer. So lästig und demütigend Behördengänge oft auch sind, hier werden kurzfristig in der Computerindustrie Arbeitsplätze geschaffen, damit – und das heißt immer noch «Rationalisierung» – viele Hunderttausend, wahrscheinlich einige Millionen Arbeitskräfte «freigesetzt» oder «eingespart» werden können. Wofür eingespart?

Ist der Sinnverlust die neue große Marktlücke? Die Medien der zweiten Wirklichkeit haben Witterung aufgenommen. In einem jener Kolloquien, wie sie gelegentlich in den Dritten Fernsehprogrammen stattfinden, habe ich neulich den Diskussionsleiter sagen hören, einen Publizisten und Literaturkritiker: «Wir alle, die wir hier miteinander reden, sind doch mehr oder weniger Sinn-Produzenten.» Dieses Wort wurde von der Runde hocherfreut aufgenommen und blieb in der Veranstaltung ein immer wiederkehrendes Motiv. Selbstverständlich ist etwas Wahres an dieser Anmaßung, zumal es sich um Philolo-

---

* Siehe dazu Gerd E. Hoffmann: ‹*Bürgernahe Verwaltung*› in *Literaturmagazin 8*, Reinbek, 1977

gen, Kritiker und Schriftsteller handelte, aber der schnell und geistesgegenwärtig gefundene und erschnappte Slogan erklärt «Sinn» ohne jeden Widerstand zum geläufigen Produkt kultureller Branchen. Wahrscheinlich hat sich die Vorstellung von *Sinnproduktion* schon eingefuchst auf kleine Schnelle Brüter des *Überbaus*, die eigens dazu da sind, *Sinn zu erbrüten*.

Im doppelten Sinne müssen die Gesellschaft und die einzelnen für jeden *Fort-Schritt* dieser Entwicklung der Megamaschine bezahlen. Es wäre nicht verwunderlich, wenn bald Arbeitsbeschaffungsprogramme wie auch Beschäftigungstherapien zu industriellen Großprojekten würden. (Die Milliarden-Summen für die Serienproduktion der amerikanischen Neutronenbombe, die *Leben* vernichtet, *Sachen* aber durchstrahlt und unbeschädigt läßt, sollen dem Etat zur Arbeitsbeschaffung entnommen werden.) Zum Beispiel individuell anzuschaffende Arbeitssimulatoren, die dem Bedürftigen Arbeit abverlangen; wenn er sein Soll nicht erfüllt, belegt ihn der Apparat mit einem Bußgeld oder einer sonstigen Strafe oder Unbefriedigung. Das Produkt, sagen wir Schuhe, wird in einem anderen Arbeitsgang wieder verschlissen; auch hier hat er sein Soll als Verbraucher zu erfüllen. Dies wäre eine logische Dependance der Megamaschine in der zweiten Wirklichkeit.

Der Mensch *bedient* die Megamaschine, und in dem Maße, in dem sie ihn *ausschaltet*, bedeutet er nur noch soviel wie ein verbrauchter Treibstoff, eine verbrauchte Energie. Der Sinn des Werkzeugs, ich zitiere noch einmal Ivan Illich, «überwältigt den Benutzer». Ob am Fließband oder angeschnallt in Auto oder Flugzeug – wir gewinnen nicht Zeit. Wir verlieren Zeit mit unserer eigenen Konditionierung für den Zeitgewinn, an Stechuhren, Verkehrsampeln, in Warte- und Abfertigungshallen, über Formularen, in Ämtern, Kliniken und Kursen zur *Fortbildung*. Wer zum Beispiel nach Kreta fliegt, um Ferien «zu machen», gewinnt zwar ein paar Ferientage, verliert aber die Reisezeit, die langsame, mit den Sinnen zu verwirkli-

21

chende Annäherung an das Ziel, die eine wichtige Dimension des Ferienerlebnisses war. Fahrrad, Schiff, vielleicht auch noch Eisenbahn vermittelten diese Dimension. Mit dem Flugzeug machen wir einen *Zeitsprung*, Start und Ziel gehen ineinander auf; der erste Ferientag beginnt sofort, weit weg von dem Ort, wo wir uns gerade noch befanden. Der Sinn dieses Transportmittels hat unsere eigenen Sinne überwältigt. Und überwältigt zu werden heißt Zwang zu erleiden, Verlust an Freiheit, unabhängig davon, ob man sich einverstanden erklärt oder nicht.

Die Verluste freilich können mit den Mitteln der *public relations* verhüllt und verschönt werden. So gibt es den Slogan vom «Autowandern». Wer heute wieder das Fahrrad besteigt, den befällt dabei trotz Rückgewinn ein Unbehagen: er wird ja dadurch nicht wieder zum Radfahrer, vielmehr gehört das Radfahren zu einem Freizeitkult scheinhafter Tradition, vermittelt über eine Kampagne. Ebensowenig macht die *vorschriftsmäßige* Benutzung eines «Trimm-dich-Pfads» den Menschen wieder zu einem Fußgänger oder Läufer, vielmehr leistet er Folge einer großangelegten therapeutischen Kampagne.

Für das Auto werden unwiederbringliche Bodenschätze vergeudet, Land asphaltiert und betoniert, Luft verpestet und jährlich Abertausende von Menschenopfern dargebracht. Wieviel Zeit ist denn damit vernichtet und wieviel Sinn?

Der heute leicht absehbare Höhepunkt auf dem Wege zum totalen und totalitären Monopolwerkzeug sind zwei omnipotente Branchen der Megamaschine, deren *Eigen-Sinn* über jeden Begriff geht, die wahrscheinlichen Vernichter des Menschenbildes wie des Menschen, die Großen Brüder selbst derer, die sie gerufen haben: Atomreaktoren (Entwicklungsziel: Schnelle Brüter) und Datencomputer als Pendant dazu, die neue völkerverbindende Zwangsjacke.

Seit Hiroshima und Nagasaki gilt der Slogan von der «friedlichen Nutzung der Atomenergie». Aus der Verdrängung geboren, bot er bald die Aussicht auf ein neues Maschinenmonopol. Milliarden wurden von Industrie und Staat «hineingesteckt». Durch die Erdölkrise kam man unverhofft (unverhofft?) zu einem übergreifenden Motiv für die rigorose Durchsetzung solcher Projekte. Eine Propagandalawine mit betörenden Slogans von «Ungefährlichkeit» und «Umweltfreundlichkeit» brandete gegen zunächst schwach sich regenden Widerstand. Dennoch wurde offenbar, daß hinter jenen Absichten eine komplexe Gefährdung steckt, von der nuklearen Katastrophe (*melt down* oder GAU) bis hin zu erbbiologischen Schäden noch unbekannter Ausmaße. Langfristige politische, besonders sicherheitspolitische, Maßnahmen müssen um jeden Preis ebenso *durchgesetzt* werden. Radioaktive Mülldeponien jeglicher Strahlenintensität und nach fünfzehn Jahren Betriebszeit abgeschaltete Reaktoren, deren gesamte Beton- und Materialmasse strahlt, müssen jahrtausendelang überwacht und kontrolliert werden. Die Emission mannigfacher tödlicher Gifte wie Jod, Strontium und Krypton (von den ungeheuren erwirtschafteten Plutoniummengen einmal abgesehen) hat zur Folge, daß die Deckung der menschlichen Grundbedürfnisse kontingentiert werden muß. In zehn bis fünfzehn Jahren wird «Trinkwasser» keine Selbstverständlichkeit mehr sein, jedenfalls seine trinkbare Beschaffenheit nicht. Die Vergiftungen werden nicht abgebaut, weder in der stofflichen Umgebung noch in den Körperzellen. In der Nahrungskette potenziert sich der Giftgehalt. Diese Zukunft, brutal in die Wege geleitet, wird mit dem *angemessenen* Gesetzeswerk ausgestattet. Und diese Gesetze werden wie die von ihnen in Schutz genommenen *Anlagen* ihrerseits von Datencomputern geschützt. Der verbliebene Rest menschlicher Sorge um die Zukunft soll damit wegrationalisiert werden. Der verbliebene Rest an Empörung und wahrhaft menschlicher Emotionalität soll damit *versachlicht* werden. Wo er es nicht sein wird, wird er kriminalisiert und verfolgt werden.

Wir haben es nicht glauben wollen: eine *sozial-liberale Koalition* liefert einem Militärregime eine Wiederaufbereitungsanlage zur Plutoniumgewinnung, und eine *Christenpartei* kritisiert sie wegen ihres gelegentlichen Zögerns bei diesem Geschäft. Das Große Werkzeug nähert sich in seiner Perfektionierung dem endgültigen tautologischen Punkt des Wahnsinns, mag der Selbstvernichtung bedeuten oder ein allgemeines Totsein bei lebendigem Leib.

Der *Widerstand* – ich zögere nicht, dieses Wort zu gebrauchen – ist in einer verzweifelten Lage. Er hat zu kämpfen gegen internationale Verträge, die im Westen (der Osten sieht vornehmlich dies als seine eigene Rückständigkeit an) den Modus der Energiegewinnung für die Megamaschine regeln; er hat zu kämpfen gegen Macht- und Kapitalkonzentration und den ihr innewohnenden Fortschrittsbegriff. Es muß ihm das Unwahrscheinliche gelingen, nämlich eine kranke und süchtige Masse von Verbrauchern wachzurütteln, eine sprach- und stimmlose Gesellschaft zum Sprechen zu bringen. Und das im Zustand eigener Befangenheit, mit Wortführern, die selbst, teilweise und unfreiwillig, dem Slogan der Technokratie verfallen sind, dem Werbebild der Umweltfreundlichkeit, der Halluzination Entsorgung. Daß dennoch eine große und wachsende Kampagne entstanden ist, die, das ist entscheidend, nicht von der Megamaschine assimiliert werden kann, macht Kritik um so notwendiger.

Gegenstrategien, Widerstand gegen Programme und gerade die verbalen Anstrengungen müssen sich vom Slogan zu befreien suchen, vom Verlautbarungscharakter aller möglichen Interessengruppen. Es ist eine große Anstrengung, Sprache zu gewinnen, nicht bloß das gestreute Wortmaterial in einem anderen Sinne zu verwenden. Es hat keinen Zweck, Begriffe wie «Lebensqualität», «Freizeitwert», «Umweltfreundlichkeit», «Bürgernähe», «Versachlichung», um nur die hartkantigsten zu nennen, «positiv umzubesetzen», denn sie entstammen der Megamaschine, und wenn wir sie sprechen, sprechen wir sie aus dem Zentrum der Sprachlosigkeit heraus. Es sind die Formeln der maschinellen und medialen zweiten Wirklichkeit, der Abhängigkeit, des Rasters, dem sich alles einpassen soll.

Gegen die Verödung und Stillegung der Menschen durch industrielle Programme, in denen jede wahre Bewegung zu einer falschen Bewegung wird, dürfen nicht solche «Humanprogramme» gesetzt werden, die genau die Texturen der Maschinenherrschaft kopieren. Sogar der neue, aus einer kritischen Bewegung hervorgegangene Stil der Sozialarbeit ist darin längst eingepaßt und seinem eigenen Slogan verfallen. Es sollte einmal ein langer Marsch durch Institutionen werden. Die Sozialarbeit für Kinder und Alte, für Arbeitslose, Strafgefangene etc. weist inzwischen die modifizierten Strukturen der Megamaschine auf. Zeitschriftenbeiträge, Filme des Werbefernsehens, der kategorische Jargon in bestimmten Lokalen legen dafür Zeugnis ab. Der Ausdruck, man müsse das Bestehende «hinterfragen» offenbart sowohl Ohnmacht (die ich niemandem vorwerfe) als auch Großsprecherei. «Neue Formen des Zusammenlebens» oder «ungestörte Partnerbeziehung» oder «angstfreies Leben» sind sterile Formeln einer Utopie, die längst klein beigegeben hat. Neue Inhalte, neue Programme, angebliche Errungenschaften von *Infragestellung*, erneuern und beschleunigen nur den Stoffwechsel der Megamaschine. «Stationäre und mobile Informations- und Freizeitzentren, Alten-Tagesstätten», in denen die wegen ihrer Unwirtschaftlichkeit aus der Produktion Verstoßenen wieder einer, wie es heißt, «sinnvollen Beschäftigung zugeführt werden», hat sie sich längst einverleibt. Das sind Beschwichtigungsprogramme, durch die auch Randgruppen, die bisher mehr oder weniger sich selber überlassen waren, noch einmal einen *Mehrwert* abwerfen. Dies sind zwar neue Formen, aber neue Formen der Entzweiung, Entfremdung und Isolation, in denen jeder etwas *Kreatives* betreibt, seinen «Platz in der Gesellschaft» zugewiesen bekommt. «Die

Familie» hat ja längst auch die aus dem sozialen Zusammenhang Gefallenen, von der Megamaschine Verstoßenen, ihrerseits verstoßen. Jeder wechselt auf diese Weise, wenn seine Zeit gekommen ist, aus einer Verpackung in eine andere, je nach Kategorie, die der Computer austüftelt. So werden auch die Reste von Wildwuchs, Selbständigkeit und wahrer Gemeinsamkeit auf dem Sozialweg unterbunden. Der einzelne wird endgültig um die Chance gebracht, sich seines Unglücks und seiner Freude bewußt zu werden. So erzeugte Zwangsgemeinschaften, ein so erzeugter gesellschaftlicher Übereinstimmungswahn kann nur eine zusätzliche Tortur bedeuten.

Analog zu dem Komplex Sozialarbeit hat sich auch ein Teil der Literatur unter freiwillige Verwaltung begeben und strebt gesellschaftsimmanente Effizienz an. Zielgruppen werden bedient mit Konstruktionen, Bildern, Figuren, in denen sich die einzelnen «wiedererkennen». Die «Subversion der Erfahrung» (Herbert Marcuse: ‹Die Permanenz der Kunst›, Hanser Verlag 1977), verfremdet und aufbewahrt in der literarischen Form, wird von Literaturfunktionären zur sozialfürsorgerischen Dienstleistung kurz und klein buchstabiert. Wenn es nach ihnen ginge, entschiede auch hier die Erfüllung eines *Plansolls* über Qualität, gäbe es für jede gesellschaftliche Klasse und Gruppe einen spezifischen, hochspezialisierten Realismus. Auch hier schlägt der Slogan der Megamaschine durch. Der Maßstab für Realismus ist eine Realität, die doch abgeschafft werden soll. Was hat einer denn erkannt, wenn er in die Identifikationsfallen einer solchen Literatur getappt ist? Wenn Literatur «Waffe der Revolution» nicht sein kann, so wird sie als Waffe der Reform vollends lächerlich.

Jeder «immanente Fortschritt», zwar noch immer suggeriert als partielle Reform, wird von der Megamaschine in ihrem eigenen Sinn *umgewertet*, transformiert zu einer von ihr selbst benötigten Energie.

Ich wage es nicht, solchen Erwägungen, Thesen und

Hypothesen Auswege aufzupfropfen, vom «aufrechten Gang» zu reden oder von «Lernprozessen» und «Lernzielen», auch nicht von Solidarität, die zu einem *Fremd-Wort* geworden ist für eine mode- und marktgerechte Kampagne. Dennoch ist die Vorstellung, mit uns und unserem *wirksamen* Widerstand sei es vorbei, mit uns neige sich die Geschichte ihrem Ende zu, nicht auszuhalten und schon deshalb nicht zu akzeptieren. Das Denken und Fühlen über die Grenze unseres eigenen Lebens hinaus ist offenbar viel schwieriger geworden, eine Übung, die den meisten Leuten nicht mehr geläufig sein kann. Das ist nicht erstaunlich, wenn man bedenkt, daß die Zeit in Perioden, Fristen und Zyklen geteilt ist, in *Legislaturperioden, Verjährungs-* und *Abschreibungsfristen, Amortisationsfristen.* Wertpapiere haben eine *Laufzeit.* Wirtschaftspolitisch meinen die Wörter *kurzfristig mittelfristig* und *langfristig* überschaubare Zeiträume, die unsere eigene Lebensgrenze, solange wir nicht alt sind, nicht überschreiten. Das Bewußtsein von der zeitlich eng begrenzten Dauer jeglicher materialen Form liegt heute sozusagen in der Luft. Wie ein Kühlschrank oder Fernsehgerät nach einigen Jahren verbraucht ist, so ist auch der Mensch zu einem Kalkulationsfaktor auf Zeit geworden. Dies Bewußtsein von sich selbst wird permanent *verstärkt* durch die industriellen Einrichtungen zu seiner Kontrolle, Wartung und Untersuchung, von denen er, zur Aufrechterhaltung seiner Lebensfähigkeit, abhängig geworden ist. So saugt die Gegenwart in ihrer totalen Vergegenständlichung jede Vorstellung von Zukunft auf. Früher zwangen die Religionen den Menschen unter anderem dazu, den eigenen Tod nicht als Weltuntergang anzusehen. Seitdem aber Zukunft auch als Heilsglaube an ein Jenseits weitgehend aus dem Bewußtsein verdrängt ist, ist sie trostlose Dunkelheit, das Unvorstellbare schlechthin, es sei denn, man nähme eine Glaubensgewohnheit wieder auf. Dann wäre die Zukunft einfach eine unbekannte Verlängerung des Fortschritts, der Ort, wo die Wissenschaft unverdrossen neue Energie- und

Materialspeicher öffnet, wo die Erde immer schöner, die Natur immer sauberer *gemacht* wird, wo der Freizeitwert jeder Weltgegend steigt und steigt und die *Einschaltquoten* sich überschlagen. Welch eine Sehnsucht, dem Slogan endgültig zu verfallen, einer einheitlichen Lebenskurzschrift, einem winzigen, verallgemeinernden Echo unserer Anwesenheit auf der Erde.

Wenn ich von der verzweifelten Lage des Widerstandes gesprochen habe, so nicht nur wegen seines miterlittenen Sinn- und Sprachverlustes, sondern auch, weil er (vielleicht gibt es da einen Zusammenhang) auf keine konkrete Alternative verweisen kann. Der Sturm auf die Megamaschine wäre nicht unsinnig, wenn er nicht auch selbstmörderisch wäre. *Zuwachsstopp* oder sogar politisch erzwungener Leerlauf der Maschine widerspricht ihrem herrschenden Gesetz und Sinn. Und angenommen, eines davon wäre möglich – auf welche Schwund-Identität sähen sich dann die Menschen zurückgeworfen? Andererseits: Die Ereignisse während des zweitägigen Stromausfalls in New York beweisen zwar unsere Abhängigkeit, nicht aber die Notwendigkeit dieser Abhängigkeit.

So sicher wir annehmen, daß kein Weg zurückführt in die Manufaktur oder die Selbstversorger-Gesellschaft, so falsch wäre es auch, uns zum Beispiel die Vision vom «konvivialen Werkzeug» (Illich) ausreden oder lächerlich machen zu lassen. Es geht auch nicht darum, die Industrie und ihre Entwicklung zu verfluchen, die uns eine Vielzahl von Lebenserleichterungen gebracht und uns von natürlichen Bedrohungen befreit hat. Aber Illichs Thesen nach hat es in der industriellen Entwicklung einen Punkt gegeben, an dem die Werkzeuge ihre konvivialen Eigenschaften verloren haben; sie hörten auf, unsere Hilfen zu sein, sich von uns gebrauchen zu lassen, vielmehr begann ein Prozeß, in dem sie uns *verbrauchen*. Zu ihrem Sinn gehört es heute, harte Konzentrationen zu bilden, «totale Monopole», den Menschen Stück für Stück alle gewachsenen Lebensgrundlagen zu zerstören, um sie in die unwiderrufliche Abhängigkeit von ihren Ersatz-

Grundlagen zu zwingen. Daß diese Tatsache überhaupt und von relativ vielen erkannt worden ist, darin *muß* eine Hoffnung liegen, eine Ermutigung, *das Leben* zu verteidigen. Auch die große Angst, die aus diesem Erkennen wächst, ist notwendig, notwendig wie die ganze lebendige Emotionalität gegen den Vernunftbegriff, den die Megamaschine verkörpert. Es ist notwendig, mit tausend Zungen zu sprechen, um den Slogan zu schlagen.

Im Zustand der Abhängigkeit von Großen Brüdern und Schnellen Brütern fallen *Verzicht* und *Verweigerung* schwerer denn je, um so schwerer noch, als, wie beschrieben, die Menschen künftig durchaus dazu gezwungen werden können, ihr Verhalten dem Sinn der Maschine zu unterwerfen. Dennoch, es mag einfältig und kleinlich klingen, diese Tugenden müssen wieder ins Recht gesetzt werden; es geht wirklich um eine Entziehungskur. Wie jede Entziehungskur wird sie ein Schock sein. Vielleicht finden wir unter diesem Schock die Sprache wieder.

# Schwache Bilder einer anderen Welt
## Science-fiction und ihre
## mögliche Rechtfertigung

Verlage und Kulturredaktionen melden Hochkonjunktur in Sience-fiction, einem literarischen Genre, an dem deutsche Autoren nur minimal beteiligt sind. Geistes- und Gesellschaftswissenschaftler genieren sich nicht mehr ihres Interesses an der imaginären Erschließung anderer Raum- und Zeitdimensionen, und seriöse Literaten bekennen, sie seien schon SF-Fans gewesen, bevor dies als schick gegolten habe. Große belletristische Verlage sehen nichts Ehrenrühriges mehr darin, ganze Science-fiction-Reihen, wenn der Markt es gebietet, auch aus dem Boden zu stampfen. Das Reservoir ist gerade hier fast unerschöpflich, und es besteht profitträchtiger Nachholbedarf. Es gilt sich Rechte zu sichern, noch bevor die Konkurrenz mitbietet, aber diese günstige Situation ist inzwischen fast wieder vorbei. Auch die SF-Filmbranche multipliziert die Nachfrage der Leser, und seit ein paar Jahren kommen sogar die Fernsehanstalten dem Raumweh des Publikums weit entgegen mit englischen und amerikanischen Science-fiction-Serien, die allerdings noch weit hinter dem zurückbleiben, was SF-Literatur bisher geleistet hat und an denen nichts über die Pferdeoper oder den Agenten-Thriller hinausweist außer einigen Designer-Ideen in Kunststoff.

Was ist die Erklärung für die plötzlich enorme Nachfrage? Ein gewisses metaphysisches Vakuum, das wie so vieles andere in der Wohlstandsgesellschaft entstanden sein soll? Die Überforderung des einzelnen in der komplexen Realität und die Suche nach Fluchtwegen? Die Gier nach irrationalem Seelenfutter, die unter dem Druck äußerer technischer Rationalisierung entsteht? Eine neue Empfindlichkeit für Banalität und Beschränktheit der eigenen Existenz und der Wunsch, sie zu transzendieren? Oder wieder einmal das gewöhnliche Konsumverhalten, das angereizt werden muß mit neuen Verpackungen für alte Geschichten? Es mag noch mehr solcher Gründe geben und sie schließen sich gegenseitig nicht aus.

Science-fiction-Literatur kann ohne Mühe andere, meist triviale Disziplinen assimilieren. Die populärsten *topoi* aus herkömmlichen Liebes-, Kriegs-, Kriminal- und Abenteuerromanen kommen auch hier in zahllosen Wiederholungen vor. Aber Science-fiction unterscheidet sich zunächst dadurch von dieser Tradition, daß sie ihr ein Stück Zeit vorausgeht. Dieser willkürliche Zeitvorgriff verändert das, was erzählt wird. Auch das Publikum sieht seine Chance in der Zukunft, das heißt, daß die Wünsche der Gegenwart vorauseilen müssen, damit man im Besitz von Möglichkeit und Illusion ihrer Erfüllung bleiben kann. Science-fiction hofft, größere Glaubwürdigkeit und Übereinkunft mit dem Leser dadurch zu erreichen, daß sie sogar die Zukunft, etwa das Jahr 2450, in die Vergangenheit verlegt, so daß der Autor unversehens wieder der «allwissende Erzähler» ist, in der Gegenwart des Jahres 5000.

Science-fiction scheitert meist nicht an der Schwierigkeit, etwas zu beschreiben, was es nicht gibt, sondern an der Unfähigkeit, die in der Realität enthaltenen Bauelemente zu finden und mit Hilfe der Imagination neu zu konstruieren. Es ist wohl wahr, daß noch die kühnste Vorstellung eines anderen Lebens, von anderen Räumen, Lebewesen und Denksystemen sogleich ihre fatale Abhängigkeit vom Wirklichen zeigt, aber gerade hier muß die verfremdende Kraft und Willkür der Imagination einsetzen.

Dies geschieht vorerst in wenigen Büchern, gleichgültig, ob sie Zukunft oder Vergangenheit simulieren oder ob sie die Gegenwart von fremden Augen entdecken lassen. Imagination rüttelt an den Elefantenfüßen des Realitätsprinzips und gibt zu verstehen, daß sie im Besitz eines Mediums ist, das keine Grenzen anerkennt. Dies läßt

noch keine Rückschlüsse zu, etwa auf den Ideologiege-
halt. Selbst in Machwerken der Science-fiction, in denen,
gemessen an Landser- oder Krimiheften, bloß die Requi-
siten und Waffen ausgetauscht sind, ist noch der imaginative Impuls zu erkennen, reduziert freilich auf ein uner-
trägliches Minimum. Auch in primitiv veranstalteten
Raum- und Zeitsprüngen noch der Wunsch, die Grenzen
des Ichs zu überschreiten (ähnlich drücken auch Schla-
gertexte und ihre Rezeption mehr aus als nur den
schlechten Geschmack der Massen). Daß in solchen Büchern bloß das Bestehende in seiner Tendenz verlängert
wird, daß es zu grotesken Wucherungen bereits vorhan-
dener Waffenpotentiale kommt und zum Repetieren blö-
der Terrassendialoge aus anderen trivialliterarischen Waf-
fengattungen, zeigt nur, daß die verkümmerten Phantasien der betreffenden Autoren besonders eng ans Realitätsprinzip gekoppelt sind. Dem entspricht auch die
Qualität der Nachfrage. Wo es außer Angst und Unsicherheit keine Nahrung gibt für die Phantasie, da bleibt
nur  übrig, diesen Realitäten neue Kulissen zu hinter-
schieben. Das Unvorstellbare kann dort nicht deutlicher
werden (kaum Versuche, Glücksvorstellungen zu beschreiben), aber das Vorstellbare kann in Raum und Zeit
auf andere Umlaufbahnen gebracht werden. Das ist, auch
in der Literatur, nur ein technisches Problem. Das Unvorstellbare kann von unterdrückten Phantasien nicht er-
funden werden. Unterdrückte Phantasien halten sich an
das, was sie erfahren haben. Und so kann die Ahnung
vom Unvorstellbaren, das irgendwo in ihren Möglichkeiten liegen muß, nur in Gewalt, Macht und neuer Unterdrückung einen Inhalt finden.
Die sogenannte Belletristik war und ist eigentlich präde-
stiniert, die Realität mit Hilfe der Imagination in Frage
zu stellen und so immer wieder einen Impuls zur Über-
windung bestehender Zustände zu geben. Aber diese
Möglichkeit erstickt dort oft in Subtilität und esoteri-
scher Metaphorik. Ein großer Teil dieser Literatur voll-
führt nur Eskapaden und tut als ob. Mit Kunstgriffen

entwindet sie sich für Momente dem Diktat des Realitätsprinzips, als ginge es ihr nur darum zu zeigen, daß sie
könnte was sie nicht tut. Sie läßt Imagination nur durch-
blicken, um schnell wieder aufzuschließen zur vorausei-
lenden Realität. Ein Spiel, das die Phantasie längst um ihre relative Autonomie gebracht hat.

In der Science-fiction lassen die Autoren Eingriffe in die
Zeit vornehmen. Erkenntnisse, Erfindungen, Ereignisse
und sogar Lebensläufe können von den Zeitreisenden
rückgängig gemacht oder verhindert werden. Die beiden
russischen Autorenbrüder Strugatzki beschreiben in ihrem Roman «Es ist nicht leicht ein Gott zu sein» eine Art
Kreuzzug in ein mittelalterliches Feudalsystem auf einem
anderen Planeten, um dort die Weichen zu stellen für eine humanere Zukunft.

Der Amerikaner R. A. Lafferty beschreibt in seiner Kurz-
geschichte «So frustrieren wir Karl den Großen», wie die
«drei hervorragendsten Wissenschaftler der Erde» die
Probe aufs zeitliche Exempel machen. Durch Knopf-
druck lassen sie einen wichtigen Mann der Geschichte in
seiner Funktion ausfallen, um zu sehen, wie sich dadurch
ihre Gegenwart verändert. Sie verändert sich, aber die
drei Wissenschaftler können das nicht bemerken. Am
Ende ähneln sie altertümlichen Medizinmännern und
stellen fest, daß die Welt so ist, wie sie immer war.

Science-fiction ist in ihren besseren Beispielen weniger
wissenschaftlich als mythisch. Das Motiv der Selbstvernichtung erfährt eine Vielzahl von Variationen, vom kollektiven Selbstmord einer «alten verbrauchten Rasse»,
vom Selbstmord der gesamten Menschheit als Folge der
Geschichte, nach einem Endstadium technizistischer
Hybris, bis hin zum injizierten Todestrieb, verordnet
von einer selbstgenügsamen Herrschaftsclique, die die
Massen weder als Warenproduzenten noch als Gesell-
schafter benötigt. Der Kern dieses Motivs ist ein Mythos,
der vom Golem ausgeht, jenem seelenlosen Wesen von
Menschenhand, das dient, aber in bestimmtem Alter eli-
miniert werden muß, damit es sich nicht gegen seinen

33

Schöpfer erhebt. In Homunkuli, Monsters und schließlich in Robotern kann der Golem wiedererkannt werden. Der Roboter hat oft die Fähigkeit, sich nach erledigtem Auftrag selbst zu vernichten, wie er andererseits auch die Fähigkeit entwickeln kann, über die Leichen seiner Erzeuger hinweg die Weltherrschaft anzutreten. Dieser endlich technifizierte Mythos wird durch ebenso reale wie banale Entsprechungen nur noch plausibler: Maschienensturm der Weber, Kamikazeflieger, Agenten mit Zyankalikapsel, Selbstzerstörungsautomatiken in wichtigem Kriegsgerät. Dagegen trägt der gewöhnliche Heldentod schon wieder archaische Zeichen wie der Ur-Mythos selbst.

In ebenso zahlreichen Varianten wird Unsterblichkeit durchgespielt, auch als Entlarvung «Unsterblicher», von Göttern und gottähnlich Herrschenden, als Sturm auf die Throne durch Menschen, die das System ihrer Unterdrückung erkennen, wie in dem Roman ‹Tod den Unsterblichen› von Frederik Pohl. Dazu kommen kosmische und irdische Jungbrunnen. Auch wahnsinnige Wissenschaftler, die sich fremde Organe einpflanzen oder gar als Vampire ihr Leben verlängern. Das ist auch eine Erklärung für die zuweilen flexible Grenze zwischen Sciencefiction und Weird-fiction, der phantastischen Gruselliteratur in der Nachfolge Edgar Allan Poes. Es bleibt aber für Science-fiction typisch, Untersterblichkeit mit Manipulationen an oder in der Zeit zu erreichen, Verjüngung durch Geschwindigkeit und durch Zeitreisen. Oder Gestorbene reinkarnieren sich auf einem anderen Planeten, in einer Art lokalisiertem Himmel, was wiederum, wie in den ‹Mars-Chroniken› von Ray Bradbury, in den Bereich magischer Phantasie führt.

Viele Geschichten und Romane, die von der Entdeckung und Kolonisierung anderer Planeten handeln, geben kaum mehr her als ein verwackeltes aber glückstrahlendes Amerikabild oder ein alptraumhaftes Rußlandbild. Fruchtbarer ist die Endeckung der Erde durch andere Allbewohner. In solchen fremden und befremdlichen

Perspektiven werden von einigen Autoren überraschende Darstellungen gewonnen, die ohne den spezifischen Ansatz der Science-fiction kaum hätten gewonnen werden können. Das Gewohnte und Gewöhnliche wird ungewöhnlich gesehen, Erkenntnis gewonnen durch Verzerrung. Die Perspektive scheint selbsttätig faszinierende Epiphanien hervorzubringen. Als Beispiel eine charakteristische SF-Variante der Suche nach Identität, die in Science-fiction häufig wiederkehrt: Die Erde existiert zweimal in unserem Sonnensystem – in geheimnisvoller Balance diesseits und jenseits der Sonne. Wir existieren uns selbst gegenüber alle noch einmal, zwischen uns und uns die Sonne, so daß wir füreinander immer unsichtbar sind. Hier und dort brechen zwei gleiche Expeditionen gleichzeitig auf und jede entdeckt auf der anderen Seite den eigenen Planeten, findet die eigenen Spuren, das Spiegelbild, sich selbst, die vierte Dimension. Eine überwältigende Vorstellung und eine wirklich kosmische Metapher.

Science-fiction hat als Genre seine Möglichkeiten noch nicht voll erkannt und genutzt. Die Vorgabe ist da, relative Unabhängigkeit der Imagination und Phantasie vom Realitätsprinzip. Science-fiction könnte sich nicht nur hinausbewegen aus den Zeit- und Raumbegriffen der Realität, sondern auch aus denen des Realismus. Sie könnte Zukunft erfinden, Möglichkeiten sichtbar machen, neue Empfindungen beschreiben, neues Verhalten zeigen – und damit gleichzeitig die Realität, die Bodenstation des imaginären Unternehmens, in ein anderes Licht rücken.

SF-Autoren müßten eigentlich Exzentriker sein, die mit dem *Wahren, Normalen, Richtigen, Realen* ein für allemal fertig sind, weil sie erkannt haben, daß es sich dabei um Übereinkünfte, um Fiktionen handelt, die unter anderem dazu da sind, Vorstellungen niederzuhalten. Daß sie es oft nicht sind, sondern eher technizistische Schwärmer, Hobbybastler mit okkulter Meise, Raumtouristen mit falscher Ausrüstung, kann auf die Dauer positive

Ausblicke nicht verhindern. Mit «positiv» meine ich nicht die altbekannte Forderung nach dem Positiven, die nur meint, daß der Dreck coloriert werden müsse, sondern das Positive im Sinne unserer Ahnung eines Lebens, das wir führen könnten.

Der Science-fiction-Begriff ist bisher, anstatt erweitert zu werden, meist nur aufgeweicht worden. Eine Erweiterung wäre zum Beispiel die Methode, die Kurt Vonnegut in seinem Roman ‹Schlachthof 5› angewandt hat. Es handelt sich dabei strenggenommen nicht um Science-fiction. Billy Pilgrim, amerikanischer Kriegsgefangener, erlebt und überlebt in einem Keller die Zerstörung Dresdens. Fortan, wenn er darüber schreibt, spricht oder sich erinnert, braucht er einen Notausgang, ein zweites Leben. Mit fast hypnotischer Imaginationskraft läßt er sich von fliegenden Untertassen auf den Planeten Trafalmadore entführen, wo er nackt zur Schau gestellt wird. Sehr rätselhafte und doch sehr deutbare Vorgänge. Seinen Erlösungswunsch, seine Sehnsucht nach einer besseren Welt, projiziert er notgedrungen auf den anderen Planeten. Vonnegut benutzt in diesem Buch ganz selbstverständlich Mittel der Science-fiction. Im Kopf seines Helden wird ein Stück Utopie wirklich.

Einige Kritiker der Science-fiction haben von den Autoren mehr Wissenschaftlichkeit gefordert. Das halte ich für genauso falsch, wie etwa weniger Wissenschaftlichkeit zu fordern. Niemand sollte zwar kosmonautische Abenteuer ohne Ahnung von deren wissenschaftlichen Voraussetzungen schreiben können, aber doch wird diese Annahme ständig durchbrochen, und zwar mit guten und schlechten Ergebnissen, einfach schon deshalb, weil sich das ganze komplizierte, kostspielige Wissenschaftsprogramm aus bestimmter Sicht in bloß einer Armaturentafel vermitteln läßt. Nicht erklären, aber vermitteln. Jemand, der wissenschaftliche Kulissen hinter technischen Funktionen aufbaut, verfehlt die innere Ökonomie des SF-Romans (es sei denn, naturwissenschaftliche Forschung selbst wäre das Thema, was nur ausnahmsweise der Fall ist, denn die allermeisten SF-Handlungen sind aufgebaut auf der Übereinkunft zwischen Autor und Leser, daß die Naturwissenschaft einen bestimmten Stand erreicht hat).

Naturwissenschaft wird in Science-fiction gewöhnlich in ihren technischen Verarbeitungen vorgestellt. Funktionen sind ihr Ausdruck, so wie etwa auch bei der Benutzung eines Fernsehgerätes selten die Frage nach seinen wissenschaftlichen Voraussetzungen gestellt wird. Welche Intelligenz aber, welches Wissen, welche geistes- und gesellschaftswissenschaftlichen Voraussetzungen für die Konstruktion neuer Science-fiction-Modelle nötig sind, dafür kann es ein pauschales Maß nicht geben.

Einige der besten Autoren wie Ballard, Bradbury und Vonnegut haben in ihren Büchern kaum Berührung mit naturwissenschaftlichen Fragen, nicht einmal mit technischen. Da ist eine Rakete eine Rakete, völlig sinnleer, ihr Flug bloße Parodie. Sie sind an den gesellschaftlichen, psychischen und metaphysischen Aspekten der Zeit- und Raumfahrt interessiert und versuchen, den inneren menschlichen Kosmos zu erschließen. Stufen sind da nicht Antriebsstufen der Raketen, sondern die Stufen des menschlichen Bewußtseins. Andere Planeten und Galaxien sind bei ihnen gleichzeitig Metaphern für das andere Leben, für vergessene Welten und ihre Entdeckung.

Noch immer stößt man in Science-fiction-Büchern auf Ideologiemüll, Spätfolge der Mobilisierung von Emotionen in den Jahrzehnten des kalten Krieges. Das Realitätsprinzip wird auch in solchen Büchern, die allerdings in den neueren SF-Reihen immer seltener erscheinen, auch intergalaktisch nicht in Frage gestellt. Es ist zusätzlich ethisch definiert als Vernunft, zu der der Feind, der oft schnell an Rassenmerkmalen oder slawischen Namen zu erkennen ist, in Widerspruch steht. Umgekehrt ist das Motiv für Krieg und Unterdrückung, die von der eigenen Seite ausgehen, von derselben Vernunft abgesichert. Auf diese Weise kann selbst der totale aggressive Einsatz der Technik als Vernichtungsmaschine niemals falsch oder auch nur bedenklich sein. Zu dieser Phalanx von Autoren gehören auch solche scheinbaren Ausnahmen, die die Technik nicht feiern, sondern sich besser auf deren Dämonisierung verstehen.

Der Soziologe H. J. Krysmanski hat in einem Aufsatz dargelegt, daß die technikgläubigen Traditionalisten unter den Autoren, auch Altmeister wie Robert A. Heinlein, nicht nur in ihren Büchern für gewaltsame Lösung von Konflikten eintreten. 1967 hat eine große Gruppe prominenter SF-Autoren die amerikanische Kriegführung in Vietnam gutgeheißen.

Es wäre verwunderlich, wenn in ideologischen Spielarten der Science-fiction nicht auch Besitz und Freude am Besitz einen gebührenden Teil einnähmen. Da ist die Erde zu klein geworden, erst recht dem Großgrundbesitzer, den es trotzdem in etlichen Jahrtausenden noch geben soll. Hier ein Zitat, aus dem man ersehen kann, wie sich der deutsche Autor Hansjörg Präger die Zukunft vorstellt.

*Im gläsernen Saal des Hotels Miranda auf Callisto hat sich die Presse eingefunden. Gant Gantson hat sie eingeladen, und wenn Gant Gantson einlädt, raufen sich die Reporter um die Flugkarten, denn GG – Playboy, Abenteurer, Amateurhistoriker, Rennpilot, Filmstar und Besitzer einiger lieblicher Sonnensysteme – lädt nur ein, wenn er wieder ein verrücktes und abenteuerliches Projekt ausgebrütet hat, eine Supershow, die sich niemand in der Galaxis zwischen der großen Magellanschen Wolke und dem mickrigen Sternhäufchen von Tlewredschra entgehen läßt …*

Das spielt sich nicht etwa in der Ära des James Bond ab, sondern 8750 Jahre tief in der Zukunft. Also in 8750 Jahren keine neue Steinzeit, auch kein Utopia, sondern einfach Hollywood 1955 aus der Gartenzwergperspektive.

Zu demselben Genre, in dem so etwas möglich ist, gehört auch der Roman ‹Fahrenheit 451› von Ray Bradbury. Er handelt von einem totalitären Staat der Zukunft. Im Wald lebt eine Gruppe von Abweichlern und Widerständlern und lernt Bücher auswendig. Aus dem sterilen und technifizierten Leben sollen Bücher verschwinden. Dieser Gefahr der Tötung allen geistigen Lebens soll durch Auswendiglernen vorgebeugt werden. Auch dies ist nur eine Metapher für jeglichen Widerstand, eine schöne Metapher, finde ich, die in ihrem Kern den Anspruch imaginärer möglicher Welten gegen die Herrschaft der Fakten aufrechterhält. Trotzdem, und die Gefahr lag wohl nahe, ist das Bücherlesen im Wald als romantizistische Attitüde und als bloß symbolisches Aufbegehren des geistigen Menschen gegen die harte Realität mißverstanden worden. Man sollte aber darauf bestehen, daß Science-fiction viele solcher Versuche braucht, um als Genre ihre einzige Legitimation zu finden.

Nach allen bisherigen Leseerfahrungen scheint mir sicher zu sein, daß Utopien, positive gesellschaftliche Gegenbilder nicht in Reinform zu projizieren sind, daß sie immer noch an inneren Störungen und äußeren Bedrohungen leiden, ja, daß sie diese Einschränkungen sogar benötigen. Selbst innerhalb utopischen Denkens und utopischer Literatur würde ein neues, absolutes Utopia nur einen neuen Utopismus bedeuten, womit die Gefahr des Verlöschens utopischer Impulse verbunden wäre.

So ist «die andere Welt» als Wille und Vorstellung schwach. Die Utopie scheitert, die Vorstellung hat noch keine Gelegenheit, sich innerhalb der Realität genügend zu stabilisieren. Sie wird vorher entlarvt und unschädlich gemacht, wie es in zwei sehr guten Romanen geschieht: ‹Das höllische System› von Kurt Vonnegut und ‹Camp Concentration› von Thomas M. Disch. Im letzten ist die als besser gedachte und vorgestellte Welt von Anfang an eingekerkert. Kriegsdienstverweigerer, Sozialutopisten und Revolutionäre leben in Amerika in einem unterirdischen Konzentrationslager. Man hat ihnen einen Virus injiziert, der innerhalb weniger Monate zum Tode führt, bis dahin aber Intelligenz und geistige Kreativität um ein Vielfaches steigert. Es findet eine rasend schnelle geistige Ausbeutung statt. Der Autor, da er sich nicht in dieser

Situation befindet, kann aber schlechterdings nicht über Mittel verfügen, diese potenzierte Intelligenz darzustellen. Das konnte über kluge Reflexionen und Thomas von Aquin-Zitate nicht hinausgelangen. Trotzdem auch hier ein Ansatz, der eine mögliche Richtung der Science-fiction anzeigt, auch wenn in solchen Beispielen noch die Seite des Horrors dominiert. Jedes Glücksbild muß sich erst gegen ein Horrorbild durchsetzen, und doch könnte Science-fiction jetzt schon ein riesiger Simulator sein für neue Zustände.

Wenn man auf gute Ansätze in der Science-fiction hinweist, weist man gleichzeitig auf mißglückte Bücher hin. Das muß nicht daran liegen, daß in diesen Büchern Utopien vom Realitätsprinzip erdrückt oder um ihre Glaubwürdigkeit gebracht werden. Jedes Glücksbild wird auch künftig, und auch in der Literatur, nur unter großem inneren und äußeren Druck gewonnen werden können. Und dieser Druck muß mit dargestellt werden; er ist die Realität, deren Kruste immer wieder durchbrochen werden muß, um neue Orientierungen über unsere vermeintlichen Grenzen hinaus zu ermöglichen. Realität muß an den besten Vorstellungen gemessen werden und nicht Vorstellungen an der schlechtesten Realität.

# Reisen im inneren Universum
## Über William S. Burroughs

«Die Zukunft der schriftstellerischen Tätigkeit liegt nicht in der Orientierung an der Zeit, sondern im Vorstoß in den Raum.» Das ist ein Satz aus einer Rede, die William S. Burroughs 1962 auf einem Schriftstellerkongreß gehalten hat und der, für ihn jedenfalls, programmatische Bedeutung hat.

«Orientierung an der Zeit» heißt für ihn Gefangenschaft, Abstumpfen, Totsein bei lebendigem Leib, Ausgeliefertsein an eine Wirklichkeit, die allen Augenschein auf ihrer Seite hat und deren Alleinvertretungsanspruch nur mit größten Anstrengungen von Phantasie und Imagination anzufechten ist. Er meint damit auch die Notwendigkeit, auszubrechen aus dem Kontrollsystem der Sprache, die in all ihren Publikationsarten die Wirklichkeit spiegelt und deckt, als sei sie – wie das Geld – deren allgemeines Äquivalent. Diese Wirklichkeit ist für Burroughs eine Fiktion, ein gefrorenes Stück Zeit, in dem ein Schein von Ordnung besteht: die Gegenwart. So wie schon die Wirklichkeit der Zeit eine selektive Wirklichkeit ist, ist auch die Wahrnehmung und ihr sprachlicher Ausdruck selektiv. Das feuilletonistisch-kritische Schlagwort «heile Welt» läßt das schlechte Gewissen deutlich werden.

Und je enger sich die Realität selber versteht, um so ignoranter reagiert auch ihr jeweiliger Realismus.

Ähnlich wie früher die Surrealisten ihre gesamte Praxis (nicht nur die des Schreibens) auf die Durchlöcherung und Vernichtung «dieser Wirklichkeit» abstellten, will auch Burroughs mit ungeheurem Aufwand an Phantasie die Grenzen des Vorstellbaren erweitern und überschreiten. Seinen Entdeckungsfahrten dient der Kosmos als Metapher für den inneren Kosmos. Das Unbekannte, alles was außerhalb unseres realitätsorientierten Erfahrungsbereichs liegt und was gemeinhin als unsagbar gilt, ist für ihn die einzige Legitimation einer künftigen Literatur. Und wo dann auch die Phantasie an die Grenzen stößt und auch der Gebrauch halluzinatorischer Drogen keine verschütteten Regressionen mehr zutage fördert (Burroughs hat nach langer Süchtigkeit eindeutig Stellung genommen gegen den Gebrauch von harten Drogen), benutzt er sehr technische Methoden des Schreibens. *cut up* zum Beispiel, eine Collage-Technik, bei der Textseiten zerschnitten und wieder neu zusammengefügt werden, oder *fold in*, eine Abwandlung davon, die Burroughs so erklärt:

«Eine Textseite, von mir selbst oder einem anderen, wird der Länge nach gefaltet und auf eine andere Textseite gelegt ... Der neue Text entsteht, indem man halb über die eine und halb über die andere Seite liest. *fold in* bereichert die Textherstellung um die Möglichkeit der Rückblende, wie sie im Film benutzt wird, und gestattet dem Schriftsteller, sich auf seiner *Zeitspur* vor und zurück zu bewegen. Etwa so: ich nehme Seite 1 und falte sie in Seite 100; den daraus resultierenden Text füge ich als Seite 10 ein. Beim Lesen von Seite 10 blendet also der Leser zeitlich vor zur Seite 100 und zurück zur Seite 1. Das *déjà-vu*-Phänomen läßt sich so nach Wunsch und Maß erzeugen ...»

Man hat dieser Methode Beliebigkeit und Zufälligkeit vorgeworfen, doch Burroughs hat nie behauptet, daß er damit das Schreiben abschaffen oder ablösen wolle. Er hält sie für ein wichtiges formales Mittel, «das von manchen Autoren mit Gewinn angewandt wird, von anderen nicht». *fold in* ist eine Entsprechung des Filmschnitts in der Literatur und produziert Epiphanien und phantastische Sinnkombinationen, wie sie im linearen Erzählvorgang kaum je produziert werden könnten. «Beliebigkeit» ist auch deshalb ein schlechter Einwand, weil niemals

Texte grundverschiedenen Stils und Inhalts miteinander kombiniert werden könnten, und weil die Methode ein Höchstmaß an Kunstverstand erfordert, der sich in langwierigem Sichten, Redigieren und Ordnen des erzählerischen Rohstoffs ausdrückt. Die Frage des Gelingens muß unabhängig von der Methode gestellt werden, und wo etwa Beliebigkeit ein Merkmal des fertigen Textes ist, muß nicht die Methode schuld daran sein.

Einige von Burroughs' letzten Büchern, ‹Nova Express› und ‹Soft Machine› sind auf diese Weise entstanden. Vor allem ‹Soft Machine› ist eine großartige Prosa-Eruption, die sich aber manchmal auch bedenklich expressionistischem Wortgeklirr nähert. Trotzdem, hier findet eine faszinierende Reise statt durch die «Soft Machine», den weichen, zarten, empfindlichen menschlichen Körper, durch Traumlandschaften, die plötzlich hell aufleuchten und sich ruckartig abspulen wie alte Filme. Zeitreisen in die menschliche Entwicklungsgeschichte, Entdeckungsreisen im Unterbewußtsein. Das Buch ist ein Sprachstrudel voll taumelnder, drängender und bedrängender Bilder; die ganze Physis wird mitbeteiligt und im Leser kann sich durchaus die gleiche Substanz befreien, so, daß er beim Lesen ständig etwas wiedererkennt, nicht als bloßes déjà-vu-Erlebnis, sondern als etwas von sich selbst, das er einmal fast entdeckt aber wieder vergessen hat. Burroughs' Bilder haben einen heißen, giftigen Atem. In diesem Unterbewußtseinsfilm dominieren die chemischen und physischen Prozesse, die im menschlichen Körper stattfinden, die Stoffwechsel und Transformationen und schließlich die parasitäre Besetzung des «grauen Raums» der «Soft Machine», des Gehirns.

Die archetypischen Angstvisionen, des Blubbern der Urbiologie, die embryonalen und frühkindlichen Traumata finden Entsprechungen in den Erfahrungen, die Burroughs in Südamerika gemacht hat. Es sind wiederum Erfahrungen des Körpers: Rausch, Fieber, Tod und gewalttätige Sexualität; sie verbinden sich in Burroughs'

Prosa mit den terroristischen Bildern aus dem Unterbewußtsein.

Solche phantastischen Reisen im inneren Universum haben in der Literatur eine Tradition. Obwohl Burroughs immer wieder triviale Stilmuster benutzt, meine ich nicht etwa die klassischen Science-fiction-Geschichten. Mit Tradition meine ich eher ‹Faust II›, ‹Peer Gynt›, die ‹Göttliche Komödie› oder auch Rimbauds ‹Das trunkene Schiff›. Heute wäre noch Allan Ginsberg zu nennen wegen seiner ähnlichen Intentionen, nämlich auszubrechen aus den Gefängnissen des Ich und gleichermaßen aus den Gefängnissen gesellschaftlicher Kontrollsysteme. Die Mittel solcher Autoren sind anstößig, ihre Bücher in den Gesellschaften, gegen die sie sich richten, Ärgernisse. In diesem Zusammenhang könnte auch Joyce noch genannt werden, auch ‹Reise ans Ende der Nacht› von Céline. Bei Genet gar wird Kriminalität zur utopischen Metapher der totalen menschlichen Befreiung.

Es wäre leicht, bei allen diesen Autoren die Wurzeln ihrer Ausbrüche und Provaktionen freizulegen und ihnen Moral und menschliches Engagement nachzuweisen. Sie selber verzichten freilich aus gutem Grund auf dieses Etikett. Sie ziehen es vor, innerhalb eines unbeweglichen menschlichen Selbstverständnisses, das in seinem lügenhaften, gemütlichen Horror zur gesellschaftlichen Maxime geworden ist, als Terroristen oder Pornografen zu gelten. Sie machen Literatur, die kriminell ist und die sich durch permanente Provokation der reinen literarischen Haut entledigt und wenigstens in ihren besten Momenten die klassische Leben/Kunst-Trennung aufhebt. Zum Beispiel nannte es der Surrealist Bréton den einfachsten surrealistischen Akt, auf die Straße zu gehen und mit der Pistole wahllos in die Menge zu schießen. Der Schock, den dieser Satz in der Öffentlichkeit auslöste, konnte von der tausendfach begangenen Tat nicht übertroffen werden.

Burroughs, der oft das Menschenmögliche an Bosheit und Verbrechen geschrieben hat, greift in seinem letzten Buch, das die Form eines Drehbuchs hat, zurück in die amerikanische Gangster-Mythologie. Der Extrakt ist das Polizistenstenogramm des Monologs eines sterbenden Gangsterkönigs:

DIE LETZTEN WORTE VON DUTCH SCHULTZ!

An dieser Gangster-Biografie, dem Aufstieg von Dutch Schultz vom Wirt einer Flüsterkneipe zum Boß eines Wirtschaftsimperiums, dessen Macht mit Gewaltverbrechen aufrechterhalten wird, mag Burroughs interessiert haben, daß der traumhaft archaische Terrorismus des Unterbewußtseins in der realen Szenerie seine genaue Entsprechung findet. Ja, die Szenerie der zwanziger Jahre verwandelt sich durch die Fieberträume des Mediums Dutch Schultz hindurch zurück in archaische Mythen.

Das Original-Protokoll ist im Anhang des Buches abgedruckt und hier spätestens wird Burroughs' *fold in*-Methode vollends plausibel, denn die zerrissene und sprunghaft das Sujet wechselnde Rede des Sterbenden, in der gleichermaßen traumatische, unterbewußte Fetzen, Kindheitsängste, wie auch Fakten und Ereignisse aus dem Gangsterleben vorkommen und sich verbinden zum Tonband eines Sterbens, ist nichts anderes als *fold in*. Hier wie dort verwirrende, den Ordnungsprinzipien der Sprache zuwiderlaufende Assoziationsketten; Brüche, Schnitte, intuitiv und im Delirium vollzogen. Überraschende und schockierende Epiphanien hier wie dort. Burroughs kann das Muster, wie es im mühsam artikulierten inneren Monolog des Sterbenden erkennbar ist, mit seiner technischen Methode weiterführen; er macht es kompromißlos zum Funktionsprinzip dieses Drehbuchs.

In dieser Unterwelt-Szenerie der großen amerikanischen Städte ist Kriminalität die Kunst des möglichen Überlebens. Die brütenden Bilder, die Burroughs sich wiederholen und gegenseitig überschneiden läßt, sind fast statisch, von einer unheimlichen, drohenden Ruhe, um dann auf einmal zu explodieren; Schüsse flackern durch das Bild, Körper fallen weich, treiben ab in Blutströmen und werden ausgeblendet aus der Szenerie, ein entsetzliches spurloses Verschwinden. Und das Leben, wo es noch anhält, ist nichts als die dumpfe Fortsetzung embryonaler Stadien. Geburtsszenen werden in Schulszenen eingeblendet und Schulszenen in Mordszenen.

Burroughs' Literatur ist nicht eine von vielen bürgerlich-dekadenten Bewegungen im Überbau, die man einfach, in kritischer Gewohnheit und mit dem Hinweis auf die notwendigen gesellschaftlichen Veränderungen abtun könnte, sie ist vielmehr eine gigantische Anstrengung, die Wahrheit über uns zu erfahren.

Sicher wäre eine positive Utopie die bessere. Aber die kann nicht hergestellt werden vor dem Hintergrund einer umfassenden Lebenslüge, einer immer frisch geharkten und gereinigten Realität, die mittlerweile selbsttätig alles ausscheidet, was ihre innere Ordnung stört, am Ende vielleicht das Wichtigste, uns selbst. Autoren wie Burroughs verdanken wir es, wenn alle unsere Lebens- und Sterbensmöglichkeiten sichtbar bleiben und wenn die Realität, die immer wieder auch von einem engen Literatur-Realismus auf den Begriff gebracht und erhalten wird, erweitert werden kann um ihre historischen und utopischen Alternativen.

# Ist die Literatur
## auf die Misere abonniert?
### Bemerkungen zu Gesellschaftskritik
### und Utopie in der Literatur

Gesellschaft und System sind in einem Zustand, der jede Aussicht auf bessere Lebensverhältnisse verhöhnt und den eigenen Wertanspruch aufrechterhält, indem er fortwährend das Schreckensbild seiner Nichtexistenz beschwört, das bürokratische Vakuum, das Chaos.
Wie nutzen vor diesem Hintergrund gesellschaftlich engagierte Autoren ihr Privileg relativ freier schöpferischer Tätigkeit? Beschreiben sie Alternativen, Gegenbilder? Bestehen sie auf dem Realitätsanspruch imaginärer Gegenwelten? Setzen sie wenigstens ihre ganze Phantasie ein, ein Leben ohne Entfremdung zu beschreiben oder eine glückliche Liebesgeschichte, selbst wenn sie dabei erkennen müßten, daß ihre Phantasie dazu nicht ausreicht? Halten sie die Provokation aus, sich der Gesellschaft zu entfremden, wenn die zu einem einzigen Entfremdungsapparat geworden ist? Nein, denn sie haben sich integriert und integrieren lassen. Sie beschreiben die vorgefundenen Verhältnisse in der wahnwitzigen Hoffnung darauf, daß die Erkenntnis der Misere die Misere «verändert». Zur Reproduktion der Verhältnisse tragen sie bei, indem sie die Verhältnisse beschreibend reproduzieren. Ihre kritische Haltung verschafft ihnen gleichzeitig die Absolution von allen gesellschaftlichen Konkursen. Sie sind abhängig vom Gegenstand ihrer Kritik, und wo in Einzelfällen revolutionärer Elan leerläuft, ist immer noch das Provisorium Literatur da, das wenigstens die revolutionäre Attitüde gestattet. Trotzdem wollen sie sich ein für allemal entschieden haben. Ihre Absicht, das Ziel ihrer Literatur schreiben sie grell aufs Panier, das Transparent, Buchbanderole oder Evangelische Akademie sein mag.

Was so deutlich im Anspruch ist und so entschieden auf Effektivität pocht (und sich die Bücher am liebsten gleich von den «Zielgruppen» selber schreiben läßt), wird selbstverständlich auch an seiner Effektivität und Deutlichkeit gemessen. Der selbstauferlegte Zwang zur Eindeutigkeit, die unmißverständliche Position, die starre Perspektive auf das Agitationsobjekt, das vorgeschützte Programm reflektieren nur den Grad der Integration und hängen wie Damoklesschwerter über dieser schriftstellerischen Arbeit. Es müssen Beweise erbracht, Soll und Plan müssen erfüllt werden. Derart bandagierte und geschiente Autoren verzichten geradezu auf kritische Wirkung. Je eindeutiger sie ihre Position darstellen, um so resistenter wird das Publikum dagegen, denn es identifiziert mit Recht das literarische Produkt mit dem erklärten Programm des jeweiligen Autors, so wie man vom Milchmann nichts anderes als Milch erwartet. Die Nostalgie ist als Späteffekt von vornherein in dieser Autor-Publikum-Beziehung enthalten.

Es ist natürlich nicht unter der Würde der Literatur zu informieren, aber es bleibt unter ihren Möglichkeiten. Literatur als bloßes Transportmittel für systemimmanente Kritik (und zur systemimmanenten Kritik muß auch die revolutionäre Attitüde gerechnet werden) kann nur noch vordergründige Effekte hervorbringen: eine penetrante affirmative Leier für oppositionelle Minderheiten.

Der gesellschaftskritische Autor, gleichgültig ob er sich für einen Reformer oder Revolutionär hält, ist auf die Misere abonniert. Er kann nicht verhindern, daß er zum Gewohnheitskritiker wird und zum kritischen Partner der Macht.

Es ist gut zu beobachten, wie sich die Realitätseinflüsterungen auf manche Schriftsteller auswirken. Entweder verfallen sie einer frömmelnden Vernunfthörigkeit, einem dogmatischen Rigorismus oder einer Sensibilität, die die Wirklichkeit flieht, anstatt sie mit den Wirklichkeiten ihrer Imagination zu konfrontieren. Wie schnell wird einer da zum schlauen Pragmatiker und wie leicht kann da die «Literatur der kleinen Schritte» kreiert werden. Lauter Gebärden, die zusammenschnurren auf ein bißchen Exhibitionismus. Und auf jeden Fall beurteilt sich der gesellschaftskritische Autor nach seinem Bewußtseinsstand und alle anderen nach dem, was sie schreiben. Die tatsächlich wichtige Frage nach der gesellschaftlichen Relevanz wird so eng gefaßt, daß sie inquisitorisch gegen jeden gerichtet werden kann, der nicht sicher ist, ob er rechtgläubig ist.

Der gesellschafts- und systemkritische Autor wird nur verstanden, wenn er sich in den vorherrschenden Schreibweisen ausdrückt und wenn er sich an dem vorgestanzten Realitätsbegriff orientiert, der für ihn selektive Wahrnehmung bedeuten muß, und zwar im Sinne des Systems, das er kritisieren will. Mit anderen Worten, er ist angesichts dieser grob ausgesiebten Realität formal auf Realismus angewiesen. Das System schafft das, was es selbst als Realität definiert, und der Autor liefert dann den passenden Realismus dazu. Die Realität, auf die er sich eingelassen hat, erscheint ihm gleichzeitig hermetisch und flexibel, und sie erträgt an ihren dickhäutigsten Stellen sogar die Diskussion über die Abschaffung der Klassen. Das System und seine Kritiker kommen zu der stillschweigenden Übereinkunft, daß die Revolution kein aktuelles Thema ist, also wird sie klein und verbal gehalten, und dafür ist der rechte Platz noch immer die Literatur. Anstatt der Revolution in der Realität findet eine Spiel-Art der Revolution in der Literatur statt. Und der kritische Autor kann sich immer auf Kritik herausreden, das kleine Transit-Visum durch das System in die wirkliche Revolution. Die Kluft zwischen Anspruch und Praxis erfährt er leidend, aber weil seine «Klassenlage» nicht stimmt, glaubt er sich sein Leid nicht lange als Elend. Dann nimmt er den Tonbandkoffer und geht zu denen, die wirklich elend leben. Mit denen produziert er den begehrten O-Ton, O-Ton-Prosa, O-Ton-Hörspiele. Er schneidet Bewußtwerdungsprozesse mit und verkauft sie. Eine neue Literatur ist da, die sowohl das ist, was ist, als auch gleichzeitig die Kritik daran.

Kaum besser dran sind Autoren, die solches Lavieren durch das eigene Gewissen und die eigene Glaubwürdigkeit satt haben und Anschluß suchen bei einer Partei. Diese Verbindung kann zunächst eine gewisse Beglückung bedeuten. Die Partei wird aber früher oder später doch zum allgegenwärtigen Über-Ich, zur Kontrollinstanz über eine imaginative Tätigkeit, die ihrer Natur nach maßlos ist. Das kann der Autor für eine willkommene Regulierung halten; dann wird er seinen elementaren Wirkstoff, die Imagination, immer mehr verengen, bis sie die Spurbreite des Parteiprogramms hat und läuft und läuft, konsequent, in eine Richtung. Immerhin hat ihm die Arbeit in der Partei eine neue Legitimation zum Schreiben verschafft, er darf wieder schreiben, in einem neuen Stand der Unschuld. Vielleicht soll er sogar, ausdrücklich.

Kritik bleibt Kritik, der Kritiker ein Kritiker. Sein Blick ist kritisch, seiner Feder sagt man das auch nach. Er lebt von dem, was er kritisiert. Seine Perspektive ist vorsätzlich negativ, seine Kultur ist Kulturpessimismus. Kritik wird zu seinem Lebensstil. Er fühlt sich zeitweise auch wohl bei seiner Kritik, aber darum geht es ja nicht.

Die in der Literatur institutionalisierte Kritik ist eine museale Disziplin, besonders weil sie immer noch ästhetische Rücksichten nehmen muß auf das Medium, dessen sie sich bedient. Aber heißt das etwa, daß in der Literatur nicht mehr gesagt werden soll, was einem, was anderen, was vielen nicht paßt? Ist die Realität, wie immer sie uns umgibt und auf welche Weise wir immer selbst ein Stück von ihr sind, auf einmal nicht mehr kritikwürdig? Im Gegenteil. Nur sollen die Autoren nicht weiterhin bloße Reflektoren realer Zustände sein und sich dabei noch zum Gewissen aufwerfen, mit einer Vernunft verbündet, die eben diese Realität reguliert. Ein verrückterer Widerspruch kann in einer Tätigkeit nicht liegen. Die Literatur soll das Vertrauen in ihre eigenen Realitäten zurückgewinnen und eine Gesellschaft beschreiben, die in all ihren Aspekten danach ruft, Wirklichkeit zu werden. Ich denke an die utopische Dimension der Literatur. Die hat nichts mehr zu tun mit Sonnensystemen oder geschlossenen Gesellschaften, aber die hat zu tun mit Wünschen, die an der einen Realität nur noch abprallen und zu resignativen Grundhaltungen führen.

Alles was ist hat die Qualität des Tatsächlichen, der materiellen Erfüllung. Es verleugnet die zufälligen und willkürlichen Aspekte seines Werdens. Es geht sogleich daran, alle anderen historischen und zukünftigen Möglichkeiten, auf deren Rücken es Realität wurde, als Wunschdenken, Weltfremdheit etc. zu diffamieren. Diese gemachte und gewordene Realität, in der immer alle anderen Möglichkeiten enthalten sind, ist gerade deshalb das lebensfähigste aller Wahnsysteme, weil sie materielle Erfüllung ist. Sie fixiert unsere Sinne, Stoffwechsel und Nervensysteme allein auf sich. Sie gibt uns für jedes Wort ein Ding an die Hand, das in jeder Saison verbessert wird, bis wir alles haben und unsere Phantasie nichts mehr erfinden kann, bis unsere Vorstellungsräume nicht nur verschlossen, sondern auch verschwunden sind. Phantasie muß verkümmern bis zum Verschwinden, wenn sie nichts anderes mehr zu tun hat, als die Allmacht des Realitätsprinzips zu beweisen. Realität sorgt dafür, daß sich die immer schwächer werdenden Vorstellungen immer genauer mit dem decken, was sie liefern kann.

Wie gefährlich und explosiv können Gefühle sein, Wünsche, Sehnsüchte. Und wie reglementiert sind sie in Wahrheit. Und dagegen treten Kritiker auf, Puristen, die ihre Wissenschaftlichkeit wie Waschmittel anwenden, wenn sie fordern, daß sich der gesamte Gefühlshaushalt in revolutionäre Energie verwandeln müsse. Sonst wollen sie ihn als reaktionär entlarven und auf den Müllhaufen der Geschichte kehren. Diese Puristen sind von derselben Stange wie jene, die den Raum der Imagination abgetrennt haben von der materiellen menschlichen Existenz. Sie sind es, die das «Reich des schönen Scheins» zum mentalen Kurort der Realität gemacht haben, zu «Reservaten des Geistes», in denen jede Vorstellung im doppelten Sinne eine geschlossene Vorstellung ist. Die Anstrengungen der heutigen Literatur müssen aber dahin zielen, dieses entfremdete, verkümmerte Getriebe wieder in Gang zu bringen und anzusetzen auf «die Realität». Das Auffinden imaginärer Energien und Inhalte ist eine der wichtigsten Entdeckungen der Zukunft.

Das Wahnsystem Realität muß um seinen Alleinvertretungsanspruch gebracht werden. Seine Tabuisierungen, sein von ungerechtem Recht abgesicherter Verhaltenskodex, der auch jede systemimmanente Kritik einschließt, ist gegen nichts anderes gerichtet als gegen andere mögliche Realitäten. Die Vorstellungen davon, die Utopien, werden entweder lächerlich gemacht oder als «gefährliche Utopien» kriminalisiert. Aber jeder ist eine gefährliche Utopie, wenn er seine Wünsche, Sehnsüchte und auch Schmerzen wiederentdeckt unter dem eingepaukten Wirklichkeitskatalog.

Unsere Literatur hat jahrzehntelang falsche oder wenigstens einseitige Konsequenzen aus der Geschichte gezogen. Sie hat zugunsten kritischer Aufklärung jegliche Irrationalität mit Stumpf und Stiel ausrotten wollen, ohne dabei zu berücksichtigen, wie und von wem sie definiert war, und sie hat zu verdrängen versucht, daß in den Menschen auch Kräfte wirken, die sich zum Beispiel nicht düpieren lassen von sogenannten Sachzwängen und eigensinnig auf ihrem Glücksanspruch bestehen, wie immer der im allgemeinen von der regulierenden Vernunft kanalisiert werden mag. Wissen denn diese Kritiker nicht, welcher Vernunft sie die Arbeit besorgen, wenn sie «heile Welten» oder «Idyllen» denunzieren? Wissen sie nicht, wie viehisch die Forderung ist, auf dem Teppich zu bleiben und nicht wunschzudenken? Die Sehnsucht nach der ungestörten Idylle kann ohnehin nur noch imaginativ erfüllt werden. Warum sollte sie nicht intakt gehalten werden? Sie ist nicht die Lebenslüge; sie schafft im Gegenteil die schmerzhafte Korrespondenz mit der Realität, den schmerzhaften Vergleich zwischen phantastischem Anspruch und realem Angebot. Und wissen solche Autoren auch nicht, daß das Leben in Vorstellungen mit dem materiellen Leben eine Einheit bildet, daß auch Wunschvorstellungen eine Voraussetzung dafür sind, die materielle Basis des Lebens zu begreifen.

Das Bewußtsein von der Existenz unserer positiven Möglichkeiten ist verkümmert, besonders in der Literatur, die doch gerade das vermittelnde Medium zwischen Imagination und Realität sein sollte. Wir sind so eingestellt, daß wir alle unsere Vorstellungen an der Realität und an ihren Maßstäben von Realisierbarkeit messen, anstatt Realität immer an unseren besten Vorstellungen zu messen.

Gesellschaftskritik im Rahmen eines literarischen Realismus kann nur immanente Kritik sein, um so mehr, als sie sich Erfolgszwang selber diktiert. Sie versteht sich als Bestandteil der Gesamtgesellschaft und wird, da sie auf die Autonomie der Imagination verzichtet, unweigerlich zu einer (bestenfalls) Korrekturtaste am Organismus der Macht.

Dabei könnte Kritik noch stattfinden, aber auf dem unerwarteten, überraschenden Umweg über die Utopie. Die Autoren können darauf bauen, daß positive Gegenvorstellungen als systemunabhängige gesellschaftliche Werte immer vorhanden waren, daß mittlerweile jedoch ihr Realitätsanspruch sich hinter der totalen Faktizität der Außenwelt verloren hat. Sartre hat in seinem Aufsatz ‹Was ist Literatur?› gesagt, daß die Empörung über eine Ungerechtigkeit erst ermöglicht werde von der Ahnung einer Gerechtigkeit. Die Literatur muß da weitergehen. Die Ahnung einer Gerechtigkeit muß konkret werden. Was hindert die zeitgenössischen Autoren daran, eine Literatur zu schreiben, die sich deutlich abhebt von der vorsätzlich negativen Perspektive und die der kollektiven Imagination Impulse gibt, Orte einer Gerechtigkeit, eines Glücks zu erfinden. Aus der Ahnung müssen klare helle Bilder werden, Leuchtbojen, die die Orientierung

nach außen, über die Systemgrenzen hinweg ermöglichen. Das dürfte eine schwierige, müßte aber keine her-
metische Literatur sein. Eine Literatur als Medium zwischen unseren Möglichkeiten und uns, zwischen unseren
vielen möglichen Ichs und dem Ich, das aus uns geworden ist.

# «Die Phantasie an die Macht»
## Literatur als Utopie

## I

In unserem Land hat sich das Bestreben «höchster Stellen», die Menschen auf einen demokratischen Mittelwert einzuschwören, deutlich verstärkt. Damit wird das wirtschaftspolitische Schlagwort vom freien Spiel der Kräfte auf dem Sektor der Meinungsbildung verhöhnt. Ich muß in diesem Zusammenhang banalerweise an die Radikalenerlasse erinnern, deren Anwendung ausstrahlt oder ausstrahlen wird auf alle Lebensbereiche. Angesichts zukünftiger ökonomischer und ökologischer Katastrophen soll offenbar ein an Tollwut grenzender Geisteszustand von Wohlverhalten erzeugt werden. Die Folgen werden viel tiefgreifender sein als eine bloße Erweiterung des Macht-Spielraums für den Staat; sie werden die Wahrnehmungen, Erfahrungen und das Verhalten der Menschen ändern, wahrscheinlich im Sinne Huxleyscher Zukunftssatiren.

Anderes ist von den «Machern» nicht zu erwarten, die diese Welt bereits für die beste aller Welten halten, für das Kunststück des Möglichen und die deshalb den totalen Anspruch dieses «Realitätsprinzips» herauskehren. Die verordnete Realität werden wir so hauteng tragen, daß wir sie bald für die eigene Haut halten.

Die Institutionen der Menschenverwaltung wetteifern miteinander darum, wer am entschiedensten eifert «gegen jede Art von Extremismus», wobei es nicht einmal um die pathologischen Auswüchse geht. Damit leisten sie schon vorzeitig und freiwillig den Eid auf einen neuen Menschen, der eine Kümmerform dessen sein wird, was er sein könnte.

Solche Tendenzen wahrzunehmen und zu erkennen, wird in dem Maße schwieriger, ja unmöglich, in dem die Tatsachen selbst vollendet werden. Hier kommen gegen-utopische Schreckensbilder in Sicht. Daß alle extremen Positionen gekappt sein werden, macht dann vielleicht die neue Gerechtigkeit aus. Wer sich dann noch gestört oder verstört fühlt, der kann sich ja von den zuständigen Stellen verfolgen lassen. Oder er läßt sich seinen Eigensinn verfolgen und wegrationalisieren. Oder er läßt sich, wenn er noch immer eigene Empfindungen hat, seinen Verfolgungswahn verfolgen, bis jeder Anspruch, den er dem alleingültigen Anspruch der Realität entgegensetzt, ausgelöscht ist. (Es gibt ein schönes Bild aus der Astrophysik: «Aus einem roten Riesen wird ein weißer Zwerg.»)

Funktionalität und Effizienz haben sich als Werte im wirtschaftlichen Moloch verselbständigt. Auch ein Teil der Literatur (ich denke an gefriergetrocknete Realismen, die auf Halde liegen, bis sie zur Anwendung kommen, an Agitprop und an einige besonders sklavische Dokumentliteraturen) hat sich von kritischen Außensteuerern auf Funktion reduzieren lassen. Dabei muß sie ihre ureigenste, aus gutem Grund unausgesprochene Funktion verlieren, nämlich den sowohl zerstörerischen wie auch aufbauenden, auf jeden Fall aber erschütternden Zusammenprall der Imagination mit dem Faktischen darzustellen bzw. dieser Zusammenprall selber zu sein. Statt dessen überall Niederlagen, Unterwerfungen unter ein offizielles über- und unterschwelliges Sprachdiktat. Die Anpassungsfalle schnappt dann zu, wenn sich ein Stück Literatur in einer oktroyierten Gesetzmäßigkeit strukturell und inhaltlich als Nachahmung vorgeprägter Erfahrungs- und Verhaltensweisen entlarvt. Die Abweichung, die prinzipielle *Ver*fremdung ist notwendig, um den Ring aus öffentlichen Imperativen zu durchbrechen und überhaupt noch sinnliche Erfahrung zu vermitteln.

Das heißt nicht Wertfreiheit und nicht Literatur im luftleeren Raum, auch nicht, daß sie, frei von Zwängen, nur noch sich selbst reproduziert. Vielmehr sucht sie die Reibung, den Konflikt und ist *auch* ganz Realität und Materie, aber sie ist auch das prinzipiell andere, über sich selbst und die Realität Hinausweisende.


## II

Der Begriff «Utopie» ist in der literarischen Debatte endlos in die Länge und Breite definiert worden. Die Medien verabreichen ihn für die äußere und innere Behandlung. An diesem Begriff kann man offenbar wie an einem Ballon auffliegen  aus den affirmativen Zusammenhängen der Kultur. Seitdem auch ich ihn ungeschützt verwende, ist mir oft übel geworden davon. Er übt eine Beruhigung aus, der man nicht trauen darf. Denn mitten in utopischen Projekten, im transzendierenden Kraftakt kommen einem Zweifel, kommt einem der nackte, gewalttätige, bilderfressende Unglaube, der sogar jeden Schein eines Scheins von Erhebung vernichtet, so daß einem schließlich schon ein bißchen Wahrheit wie ein bißchen Glück vorkommt. Die Fakten holen die Fiktionen ein. Die Fakten haben uns überholt. Die Erde ist aufgeteilt. Landnahmen für utopische Gemeinwesen sind nicht mehr möglich. Kein unentdeckter Kontinent wartet auf uns. Die Utopie ist zerplatzt wie eine Panoramascheibe. Sie ist imperialistisch geworden, hat sich in raubende und mordende Armeen verwandelt. Die Natur trifft der Schlag – sie ist elektrifiziert. In den Scherben der zerplatzten Utopie erkennen wir unsere eigene Zersplitterung. Im Schweiße unserer Angesichter sammeln wir sie auf und wickeln sie ein in die eigene Haut.
Man hat mir auch Raketentexte und Laserstrahlentexte angeboten, einen kriecherischen Sex rein atmosphärischer Erfindungen, der mich anrührte wie Giftmüll. Chemisch und elektrisch erzeugte Glücksgefühle, Schunkelfeste in einer unscharf eingestellten Futurologie. Die Phantasie in diesen Texten war nur erfinderisch im Vermeiden von Phantasie. Das rührte sich alles nicht mehr.

Das war wirklich tot, obwohl technisch auf dem zweit-neuesten Stand. Auch die angewandten Fertigmetaphern, die gelegentlich wie Konserven aus den surrealistischen Psychogrammen wirkten, atmeten nicht. Was bei jenen noch wirklich «kriminell» und kriminalisierte Entdek-kung war, beste menschliche Substanz, hat sich offenbar aus den psychologischen Hülsenbegriffen verflüchtigt. Das Verdikt gegen alles Irrationale, seine Verdrängung, ist zu stark und allgemeinverbindlich; und bei uns ist es auch unlöslich mit jüngerer Geschichte verbunden, so daß jede Interessenfigur schon von weitem mit dem Wortgespenst «Faschismus» drohen kann, als sei beides kausal aneinandergekettet.

Wo ist der harte Kern der Imagination? Wo liegen die in-neren Kontinente? (Ich meine in diesem Fall nicht «Flucht in die Innerlichkeit».) Die imperialistisch gewor-dene Utopie hat sich auch dahin bereits auf die Socken gemacht. Die Eroberung und Besetzung ist in vollem Gange. Die Einflüsterer sind unwiderstehlich. Trommel- und Sperrfeuer, Teppiche aus Imperativen fallen auf die inneren Kontinente.

Mir ist der Schrei Pasolinis nach einem notwendigen Le-ben über allen Verstand verständlich; seine Sehnsucht nach einer vorindustriellen Not-Idylle muß er ja notge-drungen in die Vergangenheit verlegen, auch wenn er sei-ne und unsere Zukunft meint. Die Vernunft, an der er sich dabei vergeht, ist «die Realität», die behäbig sagt, wie es ist und was es ist. Und die Multiplikatoren dürfen sich über solch eine Unangepaßtheit lustig machen in ih-rer halbseidenen Aufgeklärtheit, dürfen «Flucht in die Idylle» oder »Sehnsucht nach der heilen Welt« zum so-undsovielten mal hämisch feststellen. Der Blick zurück, die sentimentalische Beziehung zur Rest-Natur, das be-deutet für sie nichts als ein Leben ohne Kühlschrank, Fernsehen und Energie für die achtziger Jahre. Pasolini weiß sicher, wie zwiespältig seine Haltung ist, denn die-ses vorindustrielle Bild von schöner Notwendigkeit, das er eigensinnig im Kopf behalten hat und das gleichzeitig alles Elend enthält, ist erst in unserer völligen zeitlichen und räumlichen Entfernung davon sichtbar geworden, wiederum und paradoxerweise durch heutige Verkehrsmittel und Medien. An diesem kritischen Punkt setzt Pasolini seine utopische Willkür ein, die sich das Recht und die Einseitigkeit herausnimmt, ein Bedürfnis unvermittelt und unmodifiziert zu äußern, ohne Rücksicht auf «das Machbare» und ohne Augenmaß für «das Mögliche», wie es die jeweilige Realität anmaßend und unentwegt antizipiert.

Es ist scheinbar ein Widerspruch: zu dem ganzen fortschreitenden Entfremdungsprozeß gehört auch die Nötigung, zu einer totalen Identität mit sich selbst zu gelangen. Sie ist vielleicht *das Ziel*. Totale Identität eines jeden Wesens und Dings mit sich selbst, ohne jede irritierende Vorstellung. Das bedeutet höchste Funktionalität und Effizienz. Und das bedeutet Auslöschung der Phantasie, die ohnehin nicht mehr autonom ist und deshalb im Zusammenhang Realität nur noch Störcharakter hat. Das bedeutet auch die Vernichtung aller Bedeutungen, Symbole und Metaphern zugunsten einer materialen und funktionalen Eindeutigkeit. Das bedeutet die Vernichtung jeder Einbildung zugunsten einer totalen Ausbildung, der Verzicht auf Widersprüche und das Verbot von Widerspruch. Diese Identität würde total sein, eine im Grunde und ihrem ganzen Zweck nach selbstvergessene Identität.

# Brief an die
## Arbeitsgemeinschaft Literatur
## am Weidig-Gymnasium
## in Butzbach

22. Febr. 72

Sehr geehrte Damen und Herren,
ich danke Ihnen und Ihrem Lehrer sehr für Ihren Brief
und entschuldige mich dafür, daß ich Ihre Geduld so
strapaziert habe. Ich kann leider keinen gewichtigeren
Grund angeben als den, daß ich zuviel zu tun hatte (Ter-
minarbeiten, eiligst zu machende Übersetzungen etc.).
Ich versuche, Ihnen so kurz wie möglich zu antworten.
1) Volksschulbildung. Kleinbürgerliches Elternhaus, ent-
sprechende Erziehung mit liberalem Einschlag. Lehre als
Chemigraf. In diesem Beruf bis 1965 tätig. Zwischen-
durch mehrmonatige Trampreisen: Balkan, Türkei, Sy-
rien etc. 1962 Heirat; ein Kind. 1965 Scheidung. Seit
1965 freier Schriftsteller in Berlin. Leben in Wohnge-
meinschaften und Einzimmer-Wohnungen. Leben von
Rundfunkhonoraren für Literaturkritik und Hörspiel;
außerdem von zwei Preisen (6000 Mark und 2000 Mark).
Große sozialwirtschaftliche Schwierigkeiten am Anfang.
Milderung durch Kollegen, Institutionen (z. B. Lit. Col-
loquium Berlin) und Heirat 1968; ein Kind. Keine Scheidung. In den letzten Jahren großzügigeres Leben in größerer Wohnung. Höhere Honorare. 1970 war ich ein
Jahr lang in Amerika auf Einladung der University of Io-
wa. Sie sehn schon. Und ich hoffe noch immer, daß das
Sein mit mir eine Ausnahme macht und nicht mein Bewußtsein bestimmt. Vormittags versorge ich das Kind
(eineinhalb Jahre), nachmittags tut das meine Frau, die
als Ärztin am Krankenhaus arbeitet. Von Freundschaf-
ten, persönlichen Kontakten, von Kneipen und dem, was
es da gibt, bin ich ziemlich abhängig.

2) Mein Verhältnis zur gegenwärtigen Regierungskoalition ist positiv bzw. negativ. Wenn Sie «herrschende Klasse» sagen, negativ, d. h. meine Maximalforderung ist ein heller freundschaftlicher Sozialismus, entbürokratisiert, beispiellos. Ich bin Utopist, wünsche auf jeden Fall das Beste. Mit meinen marxistischen Freunden (ich bin keiner) bekämpfe ich Industrie– und Kapitalkonzerne. Dies ist – ich weiß – ein Gemeinplatz, aber ich kann hier nicht näher erläutern.

3) Anerkannt werde ich von den meisten Kollegen, den meisten Freunden und einigen Lesern (ca. 1500 = verkaufte Auflage). Warum, weiß ich nicht genau, kann mir's aber denken. Sie halten mich nicht für ein Genie, sie mögen nur meine Gedichte und mich. Ich hoffe, das ist alles.

4) Ich habe tausend Resolutionen, Aufrufe, offene Briefe etc. mitunterschrieben, ein paarmal war's nicht nutzlos. Habe gelegentlich Agitproplyrik gemacht, obwohl ich sie für nutzlos hielt. Habe für die SPD formuliert, mit etwa zehn Kollegen zusammen. Vielerlei Aktivitäten könnten nur in einem längeren Gespräch beschrieben und erklärt werden.

5) Die Alternative zum «Elfenbeinturm» wäre wohl der von Walter Benjamin so bezeichnete operierende Schriftsteller, Artikulationshilfe für Unterdrückte, Ausgebeutete; der Autor im Dienst der Sache. Abgesehen davon, daß, wenn es bei den Arbeitern ein solches Bedürfnis überhaupt gibt, es im Augenblick verdeckt ist von anderen Bedürfnissen, halte ich diese Rolle für falsch. Das Problem ist oft diskutiert worden: Soll «der Arbeiter» für Literatur und für die jeweilige Botschaft aktiviert werden, d. h. herausgefordert, aufmerksam gemacht, provoziert werden oder hat vorerst die Literatur auf alle Ästhetik und all ihren Formenreichtum zu verzichten, sich zu reduzieren etwa auf die Sprache der Bild-Zeitung zugunsten einer, nämlich der revolutionären Botschaft. An die letztere Funktion der Literatur kann ich nicht glauben. Ohne Unredlichkeit kann ich mir diese Agitprop – Funk-

tion nicht vorstellen. Beispiele einer solchen Literatur be-
stärken mich darin. (Privilegierte Intellektuelle biedern
sich mit revolutionären Phrasen beim Arbeiter an, und
das in vermeintlicher Proleten-Sprache.)
Ich meine, ohne den relativen Hermetismus jeder Literatur beschönigen zu wollen, daß der Schriftsteller seine
Phantasie benutzen soll und Träume, Visionen, Wünsche
artikulieren soll, utopische Bilder, eine mögliche oder sogar unmögliche Gegenrealität entwerfen soll, damit unsere einzige, *die Realität,* transparent wird, gemessen werden kann am «Besten». Dabei plädiere ich auch, ich weiß,
für anarchische, ja anarchistische Entwürfe. Das Mögliche muß im Trommelfeuer der Medien erst wieder vorstellbar gemacht werden, die dominierende pure Faktizität der Wirklichkeit muß durchlöchert, eingerissen werden, sichtbar werden als nur eine, jämmerliche, sich verwirklicht habende Möglichkeit der Geschichte.
Das war es kurz. Entschuldigen Sie die Flüchtigkeiten,
Fehler. Ich verweise noch auf die Surrealisten, ich verweise vorsichtig auf sie. Meine bisher veröffentlichten
Gedichte sind noch nicht auf dieser Basis entstanden. Ich
verweise auf meinen nächsten Band. Er wird *Zeitreise*
heißen oder *Das Auge des Entdeckers.*
Mit herzlichen Grüßen
Nicolas Born

# Stilleben einer Horrorwelt
## Gegen die Wortidyllen:
## Rolf Dieter Brinkmann

Ich nehme das mal für ihn in Anspruch: der Dichter Rolf
Dieter Brinkmann ist tot, totgefahren in London auf die
dümmste und banalste Art. 35 Jahre alt ist er geworden.
Viele Gedicht- und Erzählungsbände hat er geschrieben
und einen Roman (‹Keiner weiß mehr›), der bis heute
noch sperrig und provozierend in der westdeutschen Literatur steht.
Sein Leben und seine Arbeit scheinen sich nun wie eine
Flut von Zeichen und Hinweisen hineinzudrängen in dieses grauenhafte und öde Faktum. Aber derartige Recher-
chen hätte er als erster lächerlich gemacht, denn jedes Leben ist eine Kette von  Indizien für irgendeinen Tod.
Ebenso lächerlich sind alle Spekulationen über seine Zukunft, wenn ihm eine Zukunft geblieben wäre.
Zwar hat er sich die letzten Jahre dem Markt in einer wü-
tenden Isolationshaltung verweigert, aber aufgehört zu
schreiben hat er nie. Jeden Tag eine Fülle von Zetteln,
klein und eng beschrieben mit seinen Erfahrungen und
Imaginationen. In Notizbüchern, Zettelkästen und Hef-
tern hatte er den Rohstoff für noch einige unerhörte Bücher, von denen jedes, so verstand er sich, eine Attacke
auf die Gesellschaft werden sollte, eine schmerzhafte
Körpererfahrung, so verstand er die Sprache, für seine
Leser. Er hatte soviel Energie für diesen radikalen Weg,
daß da, wo er aufgehört hat, so schnell keiner weitermachen wird.
Ich wollte einen Nachruf schreiben, und da war mir eine fixe Formulierung schon voraus: «ein unversöhnlicher
Freund». Nein, denn seine Unversöhnlichkeit gegenüber
fast allen Tatsachen und Bedingungen des Lebens war so

entschieden, daß sie Freundschaft beinahe ausschloß. Beinahe. Manchmal in einem Gespräch (da hieß es aufpassen) oder auf einem hektischen Spaziergang in Köln oder Berlin wurde er ganz weich und zärtlich, die Stimme, die Wörter, die Bewegungen, ein Zustand, der ihn sofort wehrlos machte. Man konnte dann wissen, ohne ihn sogleich für einen Moralisten zu halten, daß er eine Liebe in sich hatte, die sonst zugedeckt war von seinem Ungenügen an Dingen und Menschen. Verlaß war nur auf sein widersprüchliches Verhalten, zum Beispiel tobsüchtiges Sprechen, und gleichzeitig der Anspruch auf Klarheit und Genauigkeit. Härteste Fragen in die verborgensten Schwächen anderer hinein, beleidigendes Insistieren, aber auch das intensivste Interesse, wenn ein anderer ihm wirklich etwas zu sagen hatte.

Vieles von seiner Sicht der Welt hätte er einbringen können in irgendeine Organisation oder Solidarität, aber seine Antwort wäre nur Hohn gewesen. «Wie die Pest» haßte er derartige Gemeinschaftsideen. Für ihn waren dergleichen nur fixierte Programme, und die hielt er für tödlich, die töteten den Gedanken, das Bild und die Energie. Er wollte weder einer Klasse noch einer Schicht, noch einer Gruppe angehören. Dem allen ist er ziemlich weit entkommen und wollte dafür den Preis bezahlen, auch den der Isolation und Armut.

Auf die Phase der Restauration in Deutschland hat er kaum reagieren können, aber gegen die neue Konsumkultur hat er heftig und kriminell reagiert, gegen Geld und Staat, Grüngürtel, Bistros und Boutiquen, und die Leute, von denen er beruflich abhängig war, bekamen seine Abhängigkeit zu spüren.

Brinkmanns letztes Buch ‹Westwärts 1 & 2›, ein dicker Band mit Gedichten, ist gerade noch zu seinen Lebzeiten erschienen. Die Sprache, für die er vergeblich nach einem besseren Ersatz suchte, erweist sich hier als verblüffend intakt. Es ist ja keine besonders exzentrische Einsicht, daß die Sprache mehr und mehr herunterkommt auf ein Arsenal von Imperativen und auf Signalfunktionen im täglichen Abtausch der Informationen. Also, unter diesem Aspekt nennt Brinkmann Wörter prinzipiell «Flickwörter». Und so ist seine Sprache ein Beleg für diese Annahme. Sie ist verstümmelt und verheert von all den Bedeutungen, die durch die Wörter gegangen sind. Aber tot und geisterhaft ist sie insofern nicht, als sie das Tote und Geisterhafte in dieser Komprimierung noch vermittelt.

Für Brinkmann, der auch seine Kindheit nach dem Krieg wie ein gespenstisches Genrebild beleuchtet, ein Kindheitsalptraum mit kleinen abgestorbenen Momentaufnahmen von Feuerlöschteichen, summenden Hecken und Bohnerwachsgeruch, ist der Krieg weitergegangen, «er ist nur unsichtbar geworden». «Die Wortidyllen haben Häute», die man abziehen muß. Die Syntax dieser Gedichte ist sein Temperament. Niemals stößt man auf bloß rhetorische Figuren oder poetisierende Kürzel. Es ist so, als stünde hinter jedem Vers eine seiner ganz realen Körpergesten: eine vorschnellende Armbewegung, oder wie er dem eigenen Sprechen erschrocken nachhorcht oder wie er angewidert über den Kiesweg der Villa Massimo geht. Aber – Material, alles genau angesehen und dann erst ein Wort dafür benutzt. Keine Gelassenheit – Heftigkeit.

Er hat auf seine verzweifelte und oft auch verrannte Art nach Wahrheit, Klarheit und Sinn gesucht. Finden müssen hat er unzählige dreckige Stilleben, tötende Betonlandschaften, in denen sich jede anwesende Kreatur vergißt. Alles wird in Brinkmanns Perspektive zu einem dumpfen bewußtlosen Verrotten, zu einer Verödung der Städte, Landschaften und Menschen. Für ihn war das nicht Prognose, auch nicht Katastrophenphantasie wie bei Futurologen, die aus der Zukunft nicht mehr zurückfinden, für ihn war das schon der gegenwärtige geisterhafte und tote Weltzustand, der kaum noch wahrnehmbar ist mitten im andauernden, unsichtbar gewordenen Krieg. Der Sarkasmus, auch Haß, mit dem er darauf reagiert, der tatsächliche und imaginär erweiterte Zerfall ist ja schon so wahr, wie es wahr ist, daß Menschen «nicht mehr sehen was sie sehen». Gedichte hin, Lyrik her – das ganze Buch ist die Beschreibung einer Horrorwelt, und das ist diese hier. Brinkmann hat sie so erfahren, und ich bin sicher, daß er keine Wahl hatte.

Trotzdem hat er alle Leidensposen verabscheut, das humanistische Reaktionsverhalten unflätig geschmäht. Gelegentlich hat ihn jemand, der ihn nicht verstand, einen Faschisten genannt, aber er kannte schon diesen Übersprungeffekt. Er kannte auch die zähen klebrigen Etikettwörter, die Stempelwörter: «Wisch dir mal den Stempel des Staates aus dem Nacken.» Bei Brinkmann werfen die Wörter andere Schatten, mythische. Labormythen der neuen Dinge und Wörter, Struktur-, Molekular– und Datenmythen. Der Kratzer auf der Schallplatte, der gerissene Film, die kaputte Glühbirne – nur in solchen Defekten kommt noch etwas Bewußtsein zum Vorschein. Die leere Befehlsform der Gänge in den Hochhäusern der Konzerne und Verwaltungen. Und Geldscheine, Hartgeld, die Gesichter auf dem Geld werden zu mythischen Geldgesichtern, die zerfallen wie das zerfallene Geld; «Unterschriften, die zerfallen, wo / nachts in den Hochhausapartments die / Kinder schreien, furchtbar gefesselt / an die Stille.» Computermetaphern deuten hin auf eine große, sich immer mehr bestätigende Angst vor der Unterwerfung des Bewußtseins, vor seiner Technifizierung, bis es gleichgeschaltet werden kann mit jedem gewünschten Programm.

Das Dichterische, das Künstlerische, das Kulturelle überhaupt, das waren für Brinkmann Erbfehler, in denen eitel weitergemacht wird. Eine größere Genauigkeit und Verbindlichkeit erhoffte er sich von wissenschaftlichen Studien, die er in Biogenetik und Neurologie ein paar Jahre lang betrieben hat. Ich kann diese Hoffnung und die Ergebnisse nicht beurteilen, aber die Spuren dieses Einsatzes sind in seinen Gedichten zu erkennen, Formen und Formeln, aufgefüllt mit der eigenen Angst, mit dem «Erschrecken, das ringsum mehr wird, jeden Tag etwas mehr». Nicht die geringste Berührungsangst hat er seinen

Sinnen erlaubt. Seinem Blick zu folgen, das hieß, daß er noch mehr sah, mehr wenig Schönes. Überhaupt ist das Schöne in diesen Gedichten kein Angebot für den Feierabend. Es ist Wahrnehmung gegen alle Verbote, schmerzhaftes Hinsehen, Erkennen, und deshalb, meinetwegen, sind die Gedichte auch schön.

Dieses prinzipiell rebellisch Geschriebene paßt nicht einmal in eins der beliebten Antimuster. Alle Sätze darüber sehen deplaziert aus, wie hoffnungslose Versuche einer Annäherung. Rolf Dieter Brinkmann ist ein Schriftsteller geblieben, das hat er an sich selbst nicht verhindern können. Ihm etwas Versöhnliches nachzurufen, wäre jämmerlich, da er aufgehört hat, sich zu wehren.

# Sind wir schon Utopia?
## Subjektive Anmerkungen zu avantgardistischen Stadt- und Verkehrsplänen
### (1968)

Unsere Städte sind krank. Die einst lebendigen Organismen drohen zu zerfallen. Stadt- und Verkehrspläne, die morgen verwirklicht werden sollen, sind heute schon hoffnungslos veraltet. In dieser Situation sind kleine Schritte Rückschritte. Es bedarf einer rigorosen und universalen Neuplanung, es bedarf neuer Städte, deren Existenz nicht mehr durch den permanenten Bevölkerungszuwachs bedroht werden kann.

Avantgarde tut nicht nur not, es gibt sie auch. Sie räkelt sich im Zeitalter der Kybernetiker und Strukturalisten nicht mehr auf archaischer Bärenhaut. Sie geht mit ihren Ideen hausieren. Der *Republikanische Club* in Berlin hat unlängst an seine Mitglieder ein Manifest verschickt, in dem der Zustand unserer Städte den Erfordernissen der Zukunft gegenübergestellt ist. Autoren sind einige jüngere Architekten und Stadtplaner. Daß diese Probleme im eigenen, im deutschen, Land noch nichts gelten, ist ihnen kein Anlaß zur Resignation. Im Gegenteil, sie wollen endlich an die ganz große Glocke hängen, woran die heutige Stadt krankt und was zu tun ist, diesen Krankheiten abzuhelfen.

Das soziale Wohnungsbauprogramm war eine Folge der Zerstörungen des Krieges, notwendig im ersten Jahrzehnt danach, aber einen Anspruch auf Zukunft kann es heute nicht mehr erheben. Aus sozialen Wohnungsbauten drohen uns die Slums von 1980 zu werden. Heute geht es darum, die Städte vorzubereiten auf die *Bevölkerungsexplosion*, die auch in Deutschland stattfinden wird, die internationalen futurologischen Forschungsergebnisse zu berücksichtigen bei der Neuplanung, und schließlich darum, absolut neue Ideen zur Umgestaltung des Wohn- und Verkehrsraumes zu entwickeln.

Die Vorausschau der Regierenden erschöpft sich in dem Wort Vorausschau. Dieser Meinung scheint jedenfalls einer der Autoren des Manifestes, der Architekt Schulze-Fielitz zu sein, denn wie, so argumentiert er, könnten die zuständigen öffentlichen Stellen sonst noch einer heruntergekommenen städtebaulichen Ideologie anhängen, der «Gartenstadtbewegung». Bausparkassen und der Staat als Förderer spiegeln den bausparenden Bürgern noch immer das Altersideal einer ländlichen idyllischen Ausweiche vor. Und auch die gigantische Fortsetzung des sozialen Wohnungsbaus, die Satelliten an den Peripherien der Städte hält er schon für abgetan, für Massenkasernen in der Tradition des Bauhauses, deren Folgen Soziologen und Psychiater noch einige Generationen beschäftigen werden.

Die Zeit des gemächlichen und vertrauensvollen Blicks in die Zukunft ist offenbar vorbei. Unsere Ururahnen konnten es sich noch leisten, Bedürfnisse ausreifen zu lassen, bevor sie daran gingen, sie zu erfüllen. Für sie waren Utopien noch ein phantastischer Zeitvertreib. Heute dagegen, das beweisen unsere chaotischen Verkehrsverhältnisse, hinkt die Verkehrsplanung der Verkehrsentwicklung mühsam und hoffnungslos nach. Heute behalten die Phantasten recht, schneller als selbst ihnen lieb sein kann. Dabei befinden wir uns noch in einer Periode, die der *Explosion* auf diesem Sektor vorausgeht.

Entgegen den kleinkarierten Vorstellungen der Gartenstädter ist die Urbanisierung von ca. 90 % der Bevölkerung nur noch eine Frage des Tempos. Die Städte sind auf diesen Zustrom nicht vorbereitet. Die traditionelle Möglichkeit der Ausdehnung hat absehbare Grenzen, die in einigen Fällen schon erreicht sind.

In den nächsten vierzig Jahren wird sich die Erdbevölkerung mehr als verdoppeln. Das heißt, daß sich die Stadtbevölkerung in diesem Zeitalter mehr als vervierfachen wird. Kleinstädte und Dörfer haben dann entweder aufgehört zu existieren oder sind integriert worden in größere Stadtkonzeptionen.

Jeder kann ausrechnen, wie eng nach diesem Ansturm der Massen die Städte sein werden, wenn sie dann noch die alten Städte sind, und daß die Straßen, mögen sie auch noch so häufig den jeweils gestrigen Verhältnissen angepaßt, mögen sie auch noch so häufig von Jahresfünft zu Jahresfünft verbreitert werden, einen entsprechend vervielfachten Verkehr nicht mehr erlauben. Darum, Schulze-Fielitz ist sicher, wird das Automobil im inner- und außerstädtischen Verkehr aussterben. Dafür zitiert er einen überzeugenden Gewährsmann: Ein Direktor der *General Motors*, ein Mann also, dem es von Berufs wegen an Optimismus nicht gebrechen kann, hat gesagt, in fünfzig Jahren werde es eben solche Gefährte nicht mehr geben.

Alles in allem: ein erschütternder und ein bedrohlicher Status quo. Diese Diagnose, das leuchtet auch einem Laien ein, ist richtig. Die Zukunft liegt schon in der Gegenwart im argen. Jede neue Idee, die den Vorsprung verkürzen könnte, den die Welt sich selbst voraus hat, sollte uns willkommen sein, erst recht ein solches Ideen-Bündel, wie es uns Schulze-Fielitz, fertig als koordiniertes System-System, auf den Tisch knallt. Man merkt diesen Visionen an, daß sie auf dem Boden der gegenwärtigen Misere entstanden sind. Sie reagieren allergisch auf das herkömmliche Image, auf die, so der Autor, aus Kubismus und Purismus hervorgegangene Trennung des komplexen Systems in einzelne Funktionsteile. Damit seien wichtige gewachsene Beziehungen zerstört worden. Was Schulze-Fielitz als Alternative für die Zukunft anbietet, ist eine Art Baukastensystem, dessen Wohneinheiten dadurch zu einem Komplex werden sollen, zu einer Stadt, daß eine Vielzahl von Kommunikationsmöglichkeiten besteht, eine unbeschränkte Beziehungsfülle zwischen den einzelnen Wohnelementen.

Der Optimismus, mit dem dieses Universalsystem vorgestellt wird, erschöpft sich, wenn er vorgibt ins Detail zu gehen, in technischen Gemeinplätzen und prophetischen Gebärden. Es wird so getan, als gäbe es zwischen praktikablen Ideen und offensichtlich ökonomischen Dummheiten keine Grenze mehr. Dafür ein Beispiel aus Schulze-Fielitz' utopischer Schreckenskammer:

«Man wird auf zweierlei Weisen den Markt für große Serien schaffen müssen: einmal durch möglichst vielseitig verwendbare, neutrale, anpassungsfähige Produkte und Systeme, zum anderen durch möglichst leichte und packbare, damit billig transportierbare Produkte und Systeme oder durch neue Transportstrategien und Transporttechniken: Stadtexport, Flößung von Städten nach Übersee.»

Man genießt eine rosarote Weitsicht, motiviert allein durch die heutigen technischen Möglichkeiten. Es ist kein Problem mehr, für den Bau mobiler und flexibler Wohneinheiten «leichtere, bessere, billigere, schnell zu verarbeitende Materialien oder Material-Kombinationen zu züchten», sagt Schulze-Fielitz und verschweigt, daß es in unserer Gesellschaft Preisabsprachen gibt, daß von mächtigen Industrien Alleinlizenzen aufgekauft und Herstellungsformeln eingestampft werden können.

Dem Publikum wird eingeredet, im innerstädtischen Verkehr würden die Automobile von Rollbändern verdrängt. Das ausgerechnet zu einer Zeit, in der die Expansionsmöglichkeiten guter alter U-Bahn-Betriebe erst richtig erkannt werden. Auch Rollbänder würden kaum weniger als durchschnittliche Straßenbreite in Anspruch nehmen, Haltestellen erfordern, vor denen sich die Rollgäste stauten. Oder sollen sie im Fußgänger-Tempo rollen? Im Radfahrer-Tempo, bei dem unsportliche und ältere Menschen das Nachsehen hätten? Sollen diese Rollbänder überdacht werden? Vielleicht mit einem billig gezüchteten Material? Wäre für den Antrieb eines jeden Bandes (die Anzahl müßte etwa der Anzahl der Straßen entsprechen) ein besonderes Kraftwerk erforderlich? Wie gesagt, ich glaube, daß hier die konservative Idee der Erweiterung des U-Bahn-Netzes viel avantgardistischer ist. Sie könnte den gesamten innerstädtischen Verkehr unter die Erde verlegen. Es würde dadurch die ungeheuer große Verkehrsfläche freigesetzt werden für andere Verwendungen. Es würde gleichzeitig ein Teil des Problems der Luftverschmutzung auf natürliche Weise gelöst, die Unfallquote herabgemindert, die Witterungsbedingungen würden gleichgültig werden.

Einen besonders weiten Schritt in die Zukunft bedeuten die Prophezeiungen, die Schulze-Fielitz für den internationalen und interkontinentalen Verkehr wagt. Für den internationalen Verkehr sagt er den Jumbojet voraus, für den interkontinentalen die Überschallmaschine (beide sind bekanntermaßen längst eine Sache der Konstrukteure). Und weil ihm die noch nicht ausreichen, nennt er ganz nebenbei für den «interstellaren Verkehr» die Rakete.

Nun zu dem Plan des durchorganisierten Wohnstadt-Systems. Daß es sich in diesem Plan von oben nach unten aufbaut, erinnert an ein Kuriosum des Bauens, das wir den Schildbürgern verdanken. Aber dessenungeachtet scheint mir, daß das «technische Obersystem», wie Schulze-Fielitz es nennt, doch einige Aussichten auf Verwirklichung hat. Es sollen darin alle Grundbedürfnisse und deren Erfüllung, die standardisierbar sind, wie etwa Strom- und Wasser-Versorgung, integriert werden. Unter diesem Dach könnte sich der einzelne seinen privaten Lebensbereich auf- und ausbauen, und wäre aller Sorgen der Energie-Beschaffung, der Klimatisierung, der Kommunikation etc. ledig. Allerdings sagt Schulze-Fielitz nicht, in welchen Händen die Steuerung dieses Systems liegen soll. Ich vermute, er hat an ein gewaltiges Staatsmonopol gedacht (wollte das aber nicht aussprechen), denn ein freier Wettbewerb auf diesen Sektoren würde jede Koordination unmöglich machen. Nun, darunter, unter diesem organisatorischen Dach soll das eigentliche Leben stattfinden. Und hier, im Entwurf dieser Wohneinheiten, beginnt eine neue große Illusion. Sie liegt in dem, auch von Avantgardisten noch nicht aufgegebenen, Vorhaben, soviel Individualität wie möglich für die

Nachwelt zu retten. Schulze-Fielitz räumt zwar ein, daß genormte Wohneinheiten in Kauf genommen werden müssen, beruhigt aber das Publikum sogleich mit der Versicherung, diese seien durch den Einbau verschiebbarer Zimmerwände und -decken individuell variabel. Wie lange wird es aber dauern, bis der Zeitgenosse in Utopia dieses individuell variable Wohnsystem durchschaut hat? Dann nämlich hängen ihm seine genormten individuellen Möglichkeiten zum Halse heraus. Schulze-Fielitz treibt die Illusion ins Extrem, verspricht individuelle Heimgestaltung im Do-it-yourself-Verfahren und verschweigt schamhaft, daß diese Methode auch zunehmend von genormten Fertigteilen ausgeht, und daß sie eine Domäne der Gartenstädter immer gewesen ist.

Nein, ich städtebaulicher Laie weiß auch keinen Weg zurück in den Individualismus. Ich sehe aber auch nicht ein, warum die Avantgarde nicht konsequent ist und zugibt und sagt, daß es in ein paar Jahrzehnten keine individuellen Wohnmöglichkeiten mehr geben wird. Dahin führt kein Weg mehr zurück. Soziologen und Psychiater müssen mit Problemen und Krankheiten fertig werden, kein Architekt, kein Stadtplaner kann da Abhilfe schaffen. Diese und ähnliche Wohnkästen, ob mobil oder nicht mobil, ob flexibel und variabel oder nicht, werden notwendig werden, so sehr uns auch heute schon vor ihnen graust. Individualismus wird zunehmend zur asozialen Haltung erklärt werden. Die Gesellschaft will es so. Noch muß man da nicht mitmachen, noch kann man die Avantgarde ignorieren und sich höchst individualistisch zurückziehen in Hinterhöfe und Kellerwohnungen, aber bitte, solche Extravaganzen kosten den Verzicht auf Bad und Wasserklosett.

Ob die Zukunft unserer Städte sich nach den Plänen Schulze-Fielitz' gestalten wird, ist mehr als fraglich. Diese Pauschalpläne mit universalem Anspruch erscheinen mir eher phantastisch als konstruktiv, eher anregend als realisierbar. Keiner bezweifelt mehr, daß die Zukunft längst begonnen hat, aber die Widerstände, die nicht zuletzt von unserer Kompetenz-Bürokratie ausgehen, werden selbstverständlich um so härter, je höher die jungen Stadtplaner zielen. Ob nicht doch die begrenzte Arbeit in der Praxis, präzise Projekt-Entwürfe, die später mit anderen zu koordinieren sind, die harte Front auf die Dauer eher aufweichen, als es zum Beispiel der Universal-Plan von Schulze-Fielitz vermag? Wo radikal neue Städte gebaut werden sollen, müßten die alten erst ebenso radikal verschwinden. Dafür macht niemand einen Plan. Als Utopien jedoch, die uns vollklimatisiert, ober- und untersystematisiert in unseren mobilen Wohnklausen sehen, finde ich solche Pläne dennoch in Maßen nützlich. Zweifellos setzen sie neue Orientierungspunkte. Und zweifellos werden einige dieser Ideen verwirklicht werden.

Wenn Schulze-Fielitz trotzdem recht behalten und mit seinem Gesamtplan sich durchsetzen sollte, dann, ja dann sehe ich uns sitzen, Brüder und Schwestern in Utopia, auf mobilen Aborten mitten im interurbanen Verkehr. Um die selbstgebastelte Lampe summen selbstgebastelte Fliegen, und auch, was die Düfte in unserer Erinnerung betrifft, lassen sich da einige Varianten versprühen. So etwas wird man zuweilen brauchen, aber, und damit werden wir längst einverstanden sein, über uns, im technischen Obersystem, in unserem Nacken sozusagen, sitzt der Große Bruder. Der uns schaltet und waltet.

# Eines ist dieser Staat sicher nicht:
## Ein Polizeistaat

21. Sept. 77

Lieber ...

Du weißt, was in den letzten Wochen passiert ist. Ich will diesen Brief zum Anlaß nehmen, mir über einige Dinge klarer zu werden. Meine Besorgnis über diese Entwicklung in der Bundesrepublik kann ich nicht mehr Besorgnis nennen: dieses Wort enthält für mich schon alle Scheinheiligkeit der Verlautbarungen dieser Tage. Der adjektivische Empörungskrampf, von dem sich Politiker schütteln lassen (abscheulich, feige, blindwütig, tollwütig etc.) offenbart neben Angst (die verständlich ist) das automatische politische Profitstreben: es kann in dieser Form nur dazu bestimmt sein, einen Volkszorn aufzuputschen und derart zu konzentrieren auf diese Verbrechen, daß daraus eine unheimliche Legitimation erwächst, Mandate so stark macht, daß sie die Verfassung schwächen.

Eine Bevölkerung wird auseinanderpolarisiert; im demagogischen Nebel werden «Umfelder» provisorisch abgesteckt, provisorisch deshalb, um sie gegebenenfalls erweitern zu können; Personen werden genötigt, den administrativen Vorsprechern inflationäre Treueschwüre zum Staat nachzusprechen; Intellektuelle, die es wagen (auch Politiker), in der *Einigkeit der Demokraten* zu differenzieren, zu denken und gar noch Fragen nach Ursachen zu stellen, kurzerhand zu Mord-Sympathisanten erklärt.

Die so skizzierte Kampagne erzeugt Mißtrauen gegenüber dem Nächsten und dem Fernsten, begünstigt entscheidend das allgemeine innere *Feindbild*, bringt die freie Meinungsäußerung unter die Kriterien der Vorsicht und der Angt. Und jene Leute, die aus politischem Kalkül diese Entwicklung fördern, nenne ich Sympathisanten, weil sie Staat und Gesellschaft in die von Terroristen erwünschte Richtung steuern.

Diesem Staat kann man in kritischer wie auch loyaler Haltung alle möglichen Attribute anheften. Man kann von ihm als vom «Rechtsstaat» reden, man kann ihn in der Abhängigkeit von wirtschaftlichen Großinteressen sehen; man kann sich auch ekeln vor ihm und ihn für eine allesstrukturierende und allesverwandelnde Verödungsmaschine halten. Eines ist er ganz sicher nicht: ein Polizeistaat, ein faschistischer Staat. Daß er das nicht ist, ist wenig, aber *etwas* immerhin, das uns bisher durch unsere Erfahrung mit dem Totalitarismus verbürgt erschien.

Nun kann es meiner Ansicht nach keinen Staat geben, der den Totalitarismus ein für allemal überwunden hat; vielmehr sind seine Versuchungen, ist seine Gefährdung permanent. Ich kann mir auch kaum eine Rechtsstaatlichkeit vorstellen, die, auch in ihrer Idealität nicht, individuelle Willkür, Terror, mithin die Prägung destruktiver Charaktere ausschlösse. Am Ende würde diese Utopia-Idealität selbst wahrscheinlich Frustrationen hervorbringen: Anschläge gegen sich selbst.

Aber, abgesehen von solchen, wie ich meine, zeitlosen Gesellschafts- und Gemeinschaftsrisiken, hat der Staat, hat unsere Gesellschaft Verhaltensnormen ausgebildet, die den einzelnen, nicht zu seinem Glück, neu definieren. Er ist zu einem wirtschaftlichen Kalkulationsfaktor auf Zeit gemacht worden, tendenziell zumindest zu einem *Input-* und *Output-* und *Rückkoppelungswesen.* Seine Lebensgrundlagen werden industriell zerstört und industriell ersetzt. Für die industrielle Produktion benötigt er eine spezifische ihn verstümmelnde Angepaßtheit, sonst fällt er heraus und wird arbeibtslos und ist nur noch als Konsument (?) *zu gebrauchen.* Hier ist vom Staat etwas zu programmieren, nämlich ein Rückschritt aus Lebensnotwendigkeit, die Rettung, Erhaltung und Wiedergewinnung menschlichen Lebens. Aber, man könnte sofort

resignieren, statt dessen wird fortgefahren, weitergemacht in den Sachzwängen einer Geld- und Maschinengi-
gantomanie.

Diese hier nur angedeutete Misere kann Frustrationen
und Staatsverdrossenheit erklären; sie kann Mord nicht
entschuldigen. Die wegen ihrer Gesinnung oder «Zuge-
hörigkeit» vom Staat aus bestimmten Berufen Verstoßenen müssen bei uns nicht zu Terroristen werden, aber
verurteilt zu einem unglücklichen Bewußtsein, zu einem
Isolationsbewußtsein werden sie damit schon.

Es tut mir leid, in solch eine gezwungene Sprache zu verfallen; für diese Probleme habe ich keine andere. Du
weißt, daß ich an eine prinzipielle Ungerechtigkeit des
Lebens, der Welt, der Natur, der Geschichte usw. glaube, aber ich glaube auch an ihre Einschränkbarkeit. Ich
habe nie politisch sein wollen und noch viel weniger
wollte ich politisch sein müssen. Ich nahm mir die Willkür heraus, eine Notwendigkeit unter anderen, mich mit
Menschen und ihrer seltsam verdunkelten Verfassung zu
beschäftigen, nicht nur um sie zu erhellen, auch um sie
vor dem allzu grellen Durchleuchtetwerden zu schützen;
mit der Sprache der Menschen, nicht nur, um sie künstle-
risch zu entwickeln, sondern auch, um sie erst eigentlich
sprechen zu lernen und um ihre wahre Geschichtlichkeit
zu entdecken und empfinden zu lernen.

Politisch sein wollen, gar parteipolitisch, das bedeutet für
mich (vielleicht nur ein irrationaler Reflex, den ich
brauchte für mein unfestgelegtes Beobachten), dem im-
manenten Vernunftbegriff des Machbaren und der angeblichen Sachzwänge zu verfallen, dem Realitätsprinzip.
Die Welt in all ihren Unterordnungen wäre dann das Un-
vermeidliche, das in einen zwanghaften Fortschritt Gezwungene. Die Tendenz läge fest, und alle Qualifizie-
rung und Quantifizierung verlängerte nur das einmal ge-
gebene Einverständnis.

Eine solche Gegen-Haltung ist natürlich nicht beispiel-
haft; mancher wird sie als Nicht-Haltung bezeichnen.
Aber sie ist die meine, und immerhin war sie, obwohl sie

doch nicht bloßes Erdulden, sondern auch Resistenz gegen das Offizielle und auch Kritik enthielt, erlaubt. Politische Wut- und Ohnmachtsanfälle waren auch darin möglich, und auch die waren erlaubt bzw. nicht verboten. Es war auch einmal erlaubt, zumal einem Schriftsteller, eine besondere Affinität zur Gewalt zu haben, sei es kriminelle Gewalt oder die Gewalt gegen Terrorregimes, wo ihre Anwendung eine Frage des Überlebens ist.

Gewalt – welche Faszination geht davon aus. Sie ist zum Haupttopos der täglichen Unterhaltung und des Zeittotschlagens geworden, zur negativen, passiv erlebbaren Utopie des Ausbruchs aus Zwängen, der Freiheit. Wie gefährlich oder ungefährlich solche kollektiven Identifikationen sind, kann ich nicht beurteilen. Die Menschengeschichte ist zuallererst und bis auf den heutigen Tag eine Geschichte der Gewalt, erst dann eine Geschichte der Einschränkung von Gewalt. Und sie ist zuallererst eine Geschichte staatlicher und erst dann eine individueller Gewalt. Die Bundesrepublik hat im Verlauf ihrer Geschichte Gewalt relativ erfolgreich eingeschränkt, auch ihre eigene staatliche, durch relativ liberale Gesetzgebung. Für gefährlich aber halte ich es, bereits die Beschäftigung mit einer solchen Komponente menschlicher Existenz zu bedrohen, ihre Faszination zu leugnen oder gar aus der Gesellschaft herauswringen zu wollen. Es besteht die Gefahr, daß Gesetze, die zum Schutz des Menschen erlassen wurden, abgeändert werden zu Gesetzesfallen. Es besteht die Gefahr, daß jeder, der nicht täglich und unaufgefordert seinen Eid auf die Verfassung erneuert, zum Terrorsympathisanten erklärt wird. Es besteht die Gefahr, daß jene, die Staat und Gesellschaft nicht für verloren, sondern für reformierbar halten und in diesem Sinn Kritik üben, zu Mordgehilfen erklärt werden.

Du weißt, daß ich kein Gerechtigkeitsfanatiker bin. In der Quersumme alles Menschlichen wird wahrscheinlich immer ein Rest von Unrechtsstaatlichkeit enthalten sein, sei es auch nur zur Erinnerung an unsere Geschichte oder sei es, damit unsere Fähigkeit zur Kritik erhalten bleibe.

Wer aber von Staats wegen unsere Bundesrepublik zu einem Utopia, zur besten aller Welten erklärt, der nimmt uns die Hoffnung auf eine bessere, der bringt uns auf den Weg zu einem geschlossenen System, das, kraft seiner Vollkommenheit, im Totalitarismus enden muß. Das nenne ich Sympathisantentum mit Terroristen und Mördern. Dahin wünschen die den Staat nämlich auch: zum Henker.

Und man soll doch nicht so tun, als lägen die Wurzeln des deutschen Terrorismus nicht auch in Deutschland. Diese Leute sind doch Fleisch von unserem Fleisch mindestens ebenso, wie es frühere und heutige Schreibtischtäter waren und sind. Man kann und will ihnen nicht die Verantwortung für ihre Verbrechen abnehmen, noch weniger kann man ihre Schuld auf der Gesellschaft verteilen, aber die Infektion hat in diesem Lande stattgefunden. Auch dieses Land bringt Verbrecher hervor, bildet destruktive Charaktere aus. Auch in diesem Land wird jedem Menschen seine Menschwerdung immer schwerer gemacht.

Vor solchen Leuten wie Baader, Raspe und Haag fürchte ich mich, und ich möchte auf keinen Fall, daß ihre Art der Menschenverachtung einmal Politik wird, aber ich freue mich, daß es immer noch Menschen gibt, die zugeben, für sie zu beten, oder die sich weigern, die Entwicklung der Bundesrepublik als völlig losgelöst von diesen Problemen zu betrachten.

Hat denn die Bundesrepublik nicht zunehmend ihren Bestand abhängig gemacht von der Inflation jener Werte, auf denen sie aufgebaut wurde? Habe ich nicht, ebenfalls in diesen Tagen, das beispiellose Ansteigen der Selbstmordquote unter Jugendlichen in diesem Land vernommen? (Es muß sich dabei um jene Jugendlichen handeln, die sich dem wachsenden Tempo des Fortschritts nicht schnell genug anpassen konnten.) Ist nicht die Regierung entschlossen, Gesundheit und Leben der Bevölkerung aufs Spiel zu setzen zugunsten eines gigantischen atomaren Industrieprogramms, dessen Folgen absolut irreparabel sein werden? Hat nicht der Ministerpräsident von Niedersachsen jüngst öffentlich verstehen lassen, daß zur *Sympathisantenszene* selbstverständlich auch Demonstranten gegen Atomkraftwerke gehören?

Es gibt terroristische Absichten in diesem Land, und die gilt es, gesetzlich zu verfolgen. Es gibt aber auch Absichten, diesen Terror politisch zu nutzen, und die gilt es zu erkennen und in sich selbst verkümmern zu lassen. Politische Menschen in allen Parteien, die noch nicht verlernt haben zu differenzieren und die noch einer Vorstellung von einem anderen, größeren Terror fähig sind, sollen sich aufgerufen wissen, solche Absichten zu bekämpfen.

Was bis jetzt geschehen ist, *muß* noch nicht alle demokratische Substanz vernichten. Es gibt aber Absichten, stark und destruktiv, mit Kritikern und Andersdenkenden fertig zu werden. Es gibt Absichten, mit denen um so besser fertig zu werden, als man mit der Arbeitslosigkeit (zum Beispiel) nicht fertig wird. Es gibt Absichten, ein Sympathisantenumfeld großzügig abzustecken, proportional zur Konjunkturkrise, proportional zur Krise.

# II. Die Sprache der Lyrik

# Wo mir der Kopf steht

Die Poetologien der Altvordern lesen sich gut. Sie stimmen hinten und vorn, taugen aber nicht viel. Die Poetologien der Zeitgenossen taugen auch nicht viel. Das ist kein Grund, es noch mal zu versuchen, mit Anti-Poetologien, da aufzuhören, wo andere erst richtig angefangen haben. Ein Ding oder ein Gedanke kann mich dazu bringen, ein Gedicht zu schreiben. Oder ein Wort, das dieses Ding auch ist. Oder ein Satz, der dieser Gedanke auch ist. Ich hebe etwas auf und sehe es in seiner Umgebung. Ich sage nicht: Hier ist das Ding in seiner Umgebung, nun rede ich weiter darüber und bin gespannt, was ich darüber rede. Ich schreibe es. Ich will es auf dem Papier haben. Es ist nicht das, was ich gesprochen hätte. Es ist wichtig. Mein Interesse ist mir so wichtig wie das Ding in seiner Umgebung. Ich versuche beides zusammenzubringen und beobachte, was sie einander tun, ob und wie sie einander verändern. Neben diesem weniger individuellen als subjektiven Anspruch an meine Art zu leben, d. h. mich auszudrücken, versuche ich mich zur Schau zu stellen in meiner Rolle, die eine kollektive Rolle ist:
Ich demonstriere mich als Nachdenker von Vorgedachtem, als Nachsprecher von Vorgesprochenem, Nachschreiber von Vorgeschriebenem, mithin von Vorschriften. Aber ich verändere Anordnungen, Reihenfolgen, schreibe deutlich Zitate in ungewohnte Zusammenhänge. Meine Rede ist nicht meine Rede. In ungewohnten Zusammenhängen werden Reden zur Rede gestellt, Selbstverständnisse, Ansichten. Die ungewohnten Zusammenhänge erinnern an Gedichte. Ich zeige Rituale

und Übereinkünfte, die ich erkenne, bin aber ebenso darauf aus, mein eigenes Ritual und meine eigene Übereinkunft zu erkennen und loszuwerden.

> Wirklich
> Monika ist schöner als ihre Mutter
> aber wenn ihr Bauch aufgeht
> sprechen aus ihr Generationen
> junge Großmütter es nimmt
>
> kein Ende:
> Bettwäsche Tischwäsche Leibwäsche und
> Vasen
> davon kann man nie genug haben

Warum schreibt einer der Gedichte schreibt Gedichte? Weil die Gesellschaft seine Gedichte nicht braucht? (Aber sie braucht auch ihn nicht. Soll er überhaupt aufhören?) Weil die lyrisch Vorgebildeten seine Gedichte nicht für Gedichte halten? Weil der Verleger einen Roman sehen will? Weil die Sozialisierung von Gedichten in der BRD nicht möglich ist? Weil Faktografien viel besser sind? Weil er nichts oder wenig dafür bekommt? Ein wirklich überzeugendes Argument für sein Gedichtschreiben hat er nicht. Ein wirklich überzeugendes Argument dafür, daß er lebt, hat er nicht.
Auschwitz, Vietnam/Kapitalismus, Imperialismus und die öffentliche Metaphorisierung dieser Tatsachen sind Grund genug sich querzulegen und seine Wut außerparlamentarisch zu investieren, aber sicher kein Grund, keine Gedichte mehr zu schreiben. Sie sind Grund genug, sich zu fragen, wessen Sterben man sein Leben verdankt, aber kein Grund nie wieder spazierenzugehn. Sie sind Grund genug sich aufzuhängen, aber kein Grund, ein Hungerkünstler zu werden.
Kein Gedicht bewirkt eine meßbare Veränderung der Gesellschaft, aber Gedichte können, wenn sie sich an die Wahrheit halten, subversiv sein. Ein Mann, der Gedich-

ten Folgenlosigkeit vorwirft, täuscht sich in den Gedichten. Ein Mann, der seinen eigenen Gedichten Folgenlosigkeit vorwirft, überschätzt seine Fähigkeiten. Die Forderung, ein Gedicht habe entweder effektiv oder nicht geschrieben worden zu sein, ist eine Forderung von Krämerseelen, die sich an Maßstäben orientieren, mit denen die Nationalökonomie einen Mann mißt.

Programme sind Übertreibungen. Es ist besser kein Programm zu haben. Aber hier sehe ich ungeheuer programmatische Sätze: *Ich zeige Rituale und Übereinkünfte.* Den Satz habe ich beim Schreiben so gemeint. Er klingt unerbittlich. Keiner sollte an ihm rütteln können. Ich habe mich auf ihn festgelegt, ohne es zu wollen. Am schwierigsten ist es, auch wirklich das zu schreiben, was man schreiben will. Was vorher im Kopf ist, erfährt durch den Vorgang des Schreibens eine Irritation. Was dann auf dem Papier steht, schließt die Irritation ein.

Programme halte ich deshalb für schlecht, weil sie Offenheit verhindern. Ich bin aber an Offenheit interessiert, weil ich alles, was ich sagen möchte (meine Art zu leben / mich auszudrücken), auch schreiben können möchte. Offenheit widerspricht auch den Monomanen, die sich ihr Thema ein für allemal auf den Leib geschrieben haben. Offenheit bedingt auch die Ablehung der Auffassung vom inquisitorischen Charakter der Sprache; auch eine neue Unbekümmertheit gegenüber ihren über- und unterschwelligen Mechanismen. Damit meine ich nicht den Zustand der Unbefangenheit nach langer Befangenheit. Ich meine nicht die Befreiung der Sprache, sondern unsere (meine) Befreiung aus der Abhängigkeit von der Sprache und der in ihr befestigten Interpretationen. Ich meine die Freiheit z. B. von Frank O'Hara, von dem ich einen Gedichtanfang zitiere:

Es ist 12 Uhr 10 in New York und ich frage mich
ob ich dies hier in so kurzer Zeit fertig kriege um Norman
noch zum Mittagessen zu treffen …

# Das Auge des Entdeckers

*Die Literatur hat die Realität mit Hilfe von Gegenbildern, von Utopien, erst einmal als die gräßliche Bescherung sichtbar zu machen, die sie tatsächlich ist. Sartre hat in seinem Aufsatz ‹Was ist Literatur?› gesagt, daß die Empörung über eine Ungerechtigkeit erst ermöglicht wird von der Vorstellung einer Gerechtigkeit. Und die Vorstellung einer Gerechtigkeit ist angesichts des Zustands dieser Realität eine pure Utopie. Sicherlich sind positive Gegenvorstellungen als abstrakte Werte in der Gesellschaft seit jeher enthalten, doch hat der einzelne sie so sehr verinnerlicht, daß ihr Realitätsanspruch hinter dem der Außenwelt verschwunden ist.*

Das Auge des Entdeckers sieht IHN, den Entdecker selbst (: dich und mich), als außengesteuertes Objekt des Tatsächlichen, aber auch als fremdartiges Wesen, das mit Hilfe von Träumen und Phantasien aufbricht in eine unbekannte Dimension des Lebens.

*Realität und Vernunft sind definiert durch Realität*

In neue Vorstellungsräume eindringen. Ganze Skalen von Empfindungen in Bilder und Bewegungen

*und Vernunft des betref-*
*fenden Systems. Wenn das*
*System leidet, dann an ein-*
*geschleusten Fremddefi-*
*nitionen. Wer Vernunft in*
*einer Fremddefinition*
*fordern will, muß Unver-*
*nunft fordern, um wenig-*
*stens verstanden zu*
*werden. Solange Kritik sich*
*an den richtigen Adressaten,*
*die Macht, hält, bleibt die*
*Wiese grün, die Regierung*
*stabil, die Kritik berech-*
*tigt. Immanente Gesell-*
*schaftskritik ist hier*
*gemeint, die in altem Selbst-*
*verständnis nichts anderes*
*ist als eine Korrekturtaste*
*am Organismus der*
*Macht, die fixiert bleibt an*
*die Macht in all ihren*
*Reaktionen auf Macht und*
*die von der Macht selbst*
*ihren Spiel-Raum zugeteilt*
*kriegt.*

*Das Bewußtsein von der*
*Existenz unserer positiven*
*Möglichkeiten ist verküm-*
*mert und selbst unter den*
*Strich der Realität geraten.*
*Das Hindeuten auf das,*
*was also auch konkrete*
*Erfahrung geworden ist,*

verwandeln. Mit der Ent-
deckung anderer Lebens-
möglichkeiten eine Ketten-
reaktion von Wünschen und
Sehnsucht auslösen, die
das standardisierte Lebens-
Schema ersetzt.

In unserer Kindheit war es
noch sicher, daß unsere
Wünsche in Erfüllung
gehen würden. Die Zeit
fühlten wir vor uns als eine
riesige Glückstrommel voller
Gewinne. Ein Tag folgte
dem anderen. Unsere
besten Aussichten waren
noch in uns enthalten.
Unsere Straße war gerammelt
voll von Persönlichkeiten
des öffentlichen Lebens.

Wie lange können wir den
Zustand der Unsicherheit,

*verselbständigt sich mehr und mehr zur einzigen Eigenschaft des gesellschaftskritischen Autors. Und diese Eigenschaft verselbständigt sich auch, entledigt sich sozusagen des Autors, der die Wirklichkeit direkt anzapft, bis der schauerlichschöne O-Ton herauskommt, der gleichzeitig das ist, was ist, als auch die Kritik daran. Der Autor hat sich demütig in einen Herausgeber verwandelt.*

*Der gesellschaftskritische Autor ist auf die Misere abonniert. Er reagiert stellvertretend für sein Publikum. Er kann nicht verhindern, daß er zum Gewohnheitskritiker wird, und zum kritischen Partner der Macht.*

*Unsere besseren Möglichkeiten müssen besser ausgestellt und dargestellt werden; an den besseren Möglichkeiten muß die Realität gemessen werden, nicht umgekehrt. Vorläufig machen die Macher die Realität, und die Literatur liefert den passenden Realismus dazu.*

der einer ungewohnten Erfahrung folgt, ertragen? Je länger wir uns weigern, eine solche Erfahrung in unserem Begriffssystem unterzubringen (zu rationalisieren), um so schärfer trainieren wir unsere Imagination, um so entschiedener durchstoßen wir die Lufthülle unseres Elends.

Jeder eine ist auch jeder andere. Gleichzeitig und bei vollem Bewußtsein. Wir richten die Teleskope auf uns. Jeder ist rund um die Uhr jeder, die absolute Identität.

*Alles, was ist, hat die Qualität des Tatsächlichen, unwiderruflich Eingetroffenen. Es verleugnet die zufälligen und willkürlichen Aspekte seiner Inthronisation als Realität. Es geht sogleich daran, alle anderen historischen oder imaginativen Möglichkeiten, auf deren Rücken es ja an die Macht gelangt ist und die immer in ihm enthalten sind, als Wunschdenken, Weltfremdheit usw. zu diffamieren und ihnen jeden Wirklichkeitsanspruch zu bestreiten. Diese gemachte und gewordene Realität ist gerade deshalb das lebensfähigste aller Wahnsysteme, weil es sie gibt, weil sie unsere Sinne, Stoffwechsel und Nervensysteme allein auf sich fixiert. Sie pflanzt uns Eigenschaften ein, die die systemkonforme Selektion von Wahrnehmungen, Gedanken, Vorstellungen und Taten garantieren. Sie gibt uns für jedes Wort ein Ding an die Hand, bis alles dazusein scheint und unsere Phantasie nichts mehr erfinden kann.*

*Unter dem absoluten Druck der Realität ist die*

Wir haben oft versucht, aus dem Vers herauszutreten auf die Straße. Wir haben nächtelang gesprochen und nächtelang geschwiegen. Wir haben versucht, das Wort Auge mit einem wirklichen Auge zu bezeichnen.

Die Realität bleibt im Gespräch. Sie täuscht über alles andere hinweg.

*Phantasie in Gefahr zu*
*verschwinden. Realität*
*sorgt dafür, daß sich die*
*immer schwächer werden-*
*den Vorstellungen immer*
*genauer mit dem decken,*
*was sie liefern kann.*
*Mutative Ausbrüche einzel-*
*ner werden dargestellt als*
*Verbrechen oder Genie-*
*streiche.*

*Das Wahnsystem Realität*
*muß um seinen Alleinver-*
*tretungsanspruch gebracht*
*werden. Seine Tabuisie-*
*rungen, sein ganzer von*
*Gesetzen abgesicherter*
*Verhaltenskodex sind*
*gegen nichts anderes gerich-*
*tet als gegen andere Reali-*
*täten. Die Vorstellungen*
*davon, die Utopien, werden*
*von den Realpolitikern*
*lächerlich gemacht oder*
*kriminalisiert (gefährliche*
*Utopien). Aber jeder ist*
*eine gefährliche Utopie,*
*wenn er seine Wünsche,*
*Sehnsüchte und Imagina-*
*tionen wiederentdeckt*
*unter dem eingepaukten*
*Wirklichkeitskatalog. Die*
*Abtreibung solcher trans-*
*zendierenden Energien ist*
*der wahre Irrationalismus.*

Wir beseitigen den Vor-
wand zwischen Leben und
Kunst. Wir wollen nicht,
daß unten die Maschinen
laufen und oben die Filme.

Die Ruhe, auf die wir es
abgesehen haben, können
wir nur im Zentrum einer
weltbewegenden Unruhe
finden.

Gedichte können auch
Gespräche sein zwischen
unseren vielen möglichen
Ichs und dem Ich, das aus
uns geworden ist. Jetzt bin

*Wie angepaßt ist eine Vernunft, die die heile Welt oder die Idylle denunziert, wie viehisch die Forderung, auf dem Teppich zu bleiben und nicht wunschzudenken. Die Sehnsucht nach der ungestörten Idylle kann ohnehin nur noch imaginativ erfüllt werden. Warum sie dann nicht intakt halten? Sie ist nicht die Lebenslüge. Sie schafft im Gegenteil die schmerzhafte Korrespondenz mit der realen Szenerie, den schmerzhaften Vergleich zwischen phantastischem Anspruch und realem Angebot.*

*Information ist gut. Es ist nicht unter der Würde der Literatur zu informieren, aber unter ihren Möglichkeiten.*

*Für Störungen der utopischen Gegenbilder ist gesorgt: sie werden beschossen. Die Langeweile lebenslänglicher Feierabendparadiese ist nicht zu befürchten. Wie die Utopie in der Realität enthalten ist, so auch die Realität in der Utopie.*

ich vierunddreißig und bemerke zu spät, daß ich kein Fußballer geworden bin. Spätestens mit sechs muß man mit dem Reit- oder Klavierunterricht anfangen.

Ich habe versucht, ich liebe dich zu schreiben, weil ich es oft gefühlt und auch ein paarmal gesagt habe, und damit habe ich dich und mich gemeint.

*Das Bedürfnis nach Befrei-*
*ung ist nicht die Befreiung*
*selbst, aber deren Voraus-*
*setzung; ebenso verhält es*
*sich mit der Literatur. Sie*
*produziert Vorstellungen*
*von etwas, das bisher nur*
*das unerkannte Ziel von*
*Sehnsüchten war. Diese*
*Vorstellungen sind nicht*
*mit Partituren oder Bau-*
*plänen zu vergleichen, die*
*Stück für Stück realisiert*
*werden, sondern sie besitzen*
*eine relative Autonomie,*
*wie auch die Phantasie*
*eine relative Autonomie*
*besitzt. Sie können nur den*
*Wert von Impulsen haben*
*und nicht den praktischen*
*Methoden; trotzdem blei-*
*ben sie nicht von Literatur-*
*begriffen eingekapselt.*

Was die Wirklichkeit sei,
haben schon viele behauptet,
aber niemand hat sich daran gehalten.

Diese Fliege – was tut sie
in der Realität? Sie rennt
ein paar hundertmal die
Fensterscheiben rauf und
fällt, oben angekommen,
herunter. Es ist wichtig
aufzustehen, auch wenn
das Fallen immer schöner
aussieht als das Aufstehen.

Ich gebe zu, daß ich schöne Gedichte schreiben
wollte, und einige sind zu
meiner größten Überra-
schung schön geworden.

# Die Sprache der Lyrik
## Ein Gespräch

*Voigts:* Herr Born, von Ihren ersten Gedichten 1967 bis zu Ihren letzten, die jetzt 1978 erschienen sind, hat Ihre Lyrik eine Wandlung durchgemacht, die man wohl ganz grob so beschreiben kann, daß Ihre ersten Gedichte direkter und unmittelbarer politisch orientiert waren und die letzte Gedichtgruppe Partien enthält, die eher unter den Begriff Naturlyrik fallen als unter den der politisch engagierten Lyrik.

*Born:* Zunächst einmal glaube ich, daß auch nicht in einem weiteren Sinne die letzten Gedichte, die Sie ansprachen, unter den Begriff der Naturlyrik zu fassen sind. Die Veränderungen – ich glaube, daß sich biographisch so eine Veränderung ergibt, wie man sich selbst verändert, wie sich die Außenwelt verändert, wie sich die Kontaktpersonen verändern, das spielt alles notwendigerweise eine Rolle. Vielleicht ist der direkte, politische Zugriff signifikant für eine Altersstufe, ein Zugriff, eine Direktheit, die einem nach späteren Erfahrungen und Gedanken nicht mehr möglich ist.

*V.:* Ich möchte Sie nicht in eine Ecke drängen, in der Sie nicht stehen, aber mir scheint, daß ihre frühen Gedichte mehr mit der Aussagenlogik arbeiteten, während Ihre späteren Gedichte sich mehr in Assoziationen bewegen, bei denen keine Quintessenz abstrahierbar ist.

*B.:* Damals gab es so eine Art Poetologie, die eine ganze Generation von Lyrikern hatte: das Gedicht als Gebrauchsgegenstand, als Operationsgerät, das Gedicht als

Angriff, als Affront, als eine andere Version von Wirklichkeit, die direkt konfrontiert wird mit der tatsächlichen – alles ausgerichtet auf den operativen Eingriff in die Gesellschaft, in das Verständnis und Vorverständnis von Dingen. Ich muß sagen, daß letzten Endes dahinter doch ein großer Optimismus gesteckt hat, eine Zuversicht auf die Veränderbarkeit der Lebensumstände, der persönlichen und gesellschaftlichen, ein Glaube, der, wie ich heute denke, zwangsläufig auf der Strecke bleiben muß. Es entstehen stufenweise Haltungen, nicht nur durch Überzeugungen, durch Analysen und Lernprozesse, sondern daß tatsächlich subjektiv ein Abbau des Glaubens und der Zuversicht stattfindet, der natürlich von außen seine Energien und Impulse erhält – ein Prozeß, der, so subjektiv er auch ist, doch ständig Belege in der Außenwelt aufweist. In den letzten zehn Jahren gab es eine gesellschaftlich-politische Entwicklung, die sozusagen im Gleichschritt mit der Desillusionierung des Subjekts vorangeschritten ist.

V.: Und das hatte zur Folge, daß der Sinn des Gedichtes – ganz grob gesagt – aus dem Kommunikationsfeld, dem Umfeld des Gedichtes in das Gedicht selbst hineingezogen wird?

B.: Es ist das Medium selber wichtiger geworden für mich. Während es früher mindestens so geschienen hat, daß das Gedicht und das Genre benutzt wird, um etwas zu transportieren, um Angriffe vorzutragen, um Kritik zu üben, ist mir das Medium selber als ein Ort des Aufbewahrens von Blicken, von Gedanken, von Gefühlen, von Beziehungen, von Beschreibungen der Beziehungen, wichtig geworden. Das ist das Verläßliche eigentlich, das Gedicht selber ist das Verläßliche, in dem etwas bleiben kann, das nicht mehr sein darf oder realiter nicht mehr sein kann.

*V.:* Darf ich mal relativ konkret fragen: Wie fangen Sie an, ein Gedicht zu schreiben – mit Bildern, mit Worten? Haben Sie eine Vorstellung von dem, was da am Ende herauskommt oder akkumulieren Sie Assoziationen, die sich erst beim Schreiben um bestimmte Punkte sammeln?

*B.:* Es gibt ganz verschiedene Energien und Impulse, die sich freimachen aus der gewöhnlich abgelebten Zeit des Tagesablaufes. Es gibt Momente, da ist die einzige Provokation das weiße Blatt, und es gibt Momente, da ist ein Wortfetzen, ein Gedanke da, ein Bild – es ist so unterschiedlich, daß man eine Festlegung nicht riskieren darf. – Meine Schreibweise ist vorwiegend eigentlich die: einen Zustand herzustellen, der von sich aus eine Verfremdung bedeutet. D. h. ich setze mich an eine Maschine und fange dann nicht an zu denken: welches ist meine Methode, welcher Möglichkeit gehe ich nach, welcher widerstehe ich zu schreiben, das sind alles Erwägungen, die bei mir beim Schreiben eigentlich nicht vorkommen sollen. Es muß ein Zustand erreicht werden, der so aus dem Normalen herausspringt, daß der Blick frei wird, daß etwas gesehen wird wie beim ersten Mal oder zum letzten Mal, was ja auch sein kann. Und den Zustand versuche ich so lange durchzuhalten, ohne mir Konstruktionsprinzipien präsent zu halten.

*V.:* Und damit hängt zusammen, daß die Sprache, in der dann geschrieben wird, nicht die Umgangssprache des täglichen Lebens ist und daher ein Gedicht – anders als ein Zeitungsartikel – interpretiert werden muß?

*B.:* In einem Gedicht kann man Umgangssprache simulieren, sie ist aber im Kontext von vornherein verfremdet, und wenn das nicht der Fall wäre, wäre Umgangssprache im Gedicht gar nicht verwendbar. Erst dadurch, daß man Elemente herauslöst und sie in einen anderen Kontext hineinbringt, wird sie überhaupt verwendbar, und da hat sie dann allerdings in dieser Form auch ihren Platz, sie kann verwendet werden, muß es aber nicht. Insofern ist auch prinzipiell jede andere Sprache verwendbar, aber alle Sprachelemente finden sich grundsätzlich in einem neuen Kontext wieder und werden in sich, aber auch allgemein dem ganzen Sprachbereich gegenüber verfremdet und sind dann neu da. Insofern ist die Sprache eines Gedichts eine andere, sozusagen transzendente Form – ‹transzendent› ist vielleicht ein zu starkes Wort, aber eine der Sprache insgesamt entfremdete Form von Ausdruck. Ich sage diesmal nicht verfremdete, sondern entfremdete Form von Ausdruck, aber nicht in dem negativen Sinne, den sonst Entfremdung hat.

V.: Da fallen mir die literaturgeschichtlichen Parallelen ein: Rimbaud hat gesagt, daß er eine neue Sprache schaffen wolle, Hofmannsthal hat gesagt, daß ihn die Umgangssprache eher zum Schweigen bringt und daß er erst in einer ganz neuen Sprache sprechen könne, die er dann natürlich nicht erreichen kann, aber solche Vorstellungen sind verbreitet, und die Frage ist, warum dieser Ausbruch aus der Umgangssprache versucht wird.

B.: Ich glaube, es ist signifikant für Kunst überhaupt, daß etwas von dem Ursprünglichen, etwas von dem Mythischen erhalten geblieben ist, auch wenn wir es nicht mehr wahrhaben wollen, auch wenn wir die Sprache durch und durch funktionalisieren wollen. Es gibt ja auch Leute, die Gedichte schreiben, die absolut Klartext schreiben wollen, bei denen es nur um Informationswertigkeiten geht, aber selbst bei solchen Produkten ist zumindest ahnbar – ich will jetzt nicht mystifizieren da, aber die Sprache hat nach wie vor noch ihr Geheimnis, bei aller Semantikforschung und Linguistik hat sie etwas, was sich aller Analyse entzieht, aller Funktionsanalyse entzieht ...

*V.:* Die Analyse selbst kann sich ja auch nur in der Sprache bewegen.

*B.:* Genau, das ist möglicherweise das Handicap der Analyse, deshalb kommt die Analyse nicht vollständig zurecht. Es bleibt einfach ein Geheimnis. Über dieses letzte Geheimnis können wir einfach nicht einmal ... Es ist wie ein Moment, in dem das Leben aufhört und das Sterben, der Tod anfängt. Es ist so ein unentwirrbarer kleiner Punkt zwischen zwei Existenformen eigentlich.

*V.:* Obwohl das möglicherweise ein bißchen hart ist jetzt, möchte ich mal fragen, wieso Sie das zweite Mal bei Sprache und lyrischer Sprache auf das Problem des Todes kommen. Sie haben vorhin schon gesagt: Vielleicht das letzte Mal Sachen sehen ...

*B.:* Ich möchte das jetzt eigentlich vordergründig als einen Zufall ansehen, daß ich das zweimal als Beispiel angeführt habe. Psychologisch könnte man daraus seine Schlüsse ziehen, die kann ich aber nicht ziehen – für mich war das ein Zufall.

*V.:* Das muß ja nicht sein, es kann ja auch sein, daß der Gedanke dahinter steht, daß die Sprache eine der entscheidenden Qualitäten des Menschen ist, und daß ohne Sprache der Mensch als Mensch tot ist, daß das Wort wirklich eine lebenswichtige Sache ist.

*B.:* Ja, das wird nicht begriffen. Es ist wahr, sie ist die spezifische Lebensausdrucksmöglichkeit des Menschen, sie ist gleichzeitig auch die Lebensfähigkeit des Menschen, und das wird nicht begriffen. Dieser zweite Atem geradezu wird benutzt, als wäre es die letzte Selbstverständlichkeit. Es gibt öffentlich kein Bewußtsein von Sprache. Die Sprache wird malträtiert und entwürdigt, als wäre sie ein Schrott, der gerade noch zur Verständigung dient, und in den einfachen Entscheidungsabläufen weiß man gerade noch, was gemeint ist, als Signalfunktion: Halt! Stehen bleiben! Gehen!

*V.:* Ich möchte noch einmal zurückkommen auf die Sprachschöpfung. Es gab schon immer – sicher seit 200 Jahren – eine sehr brisante Grenze zwischen Sprachschöpfung und Sprachspielerei, zwischen dem Wunsch, der Alltagssprache zu entkommen und neue Bilder, neue Unter- und Obertöne der Sprache zu entdecken und der einfachen Lust am Spiel mit Sprache, wie wir sie z. B. in der konkreten Poesie finden. Sehen Sie da eine Schwierigkeit der Lyrik?

*B.:* Ich sehe generell darin für mich kein großes Problem. Es reizen diese Clownerien, die mit der Sprache möglich sind, jeder hat vor allem in der Jugend so einen kleinen Dadaisten in sich stecken, aber ich habe mir diese Möglichkeit weggenommen, ich halte das in der Lyrik nicht mehr für wesentlich – als müßte ich in der Lyrik beweisen, daß ich auch noch Humor hab. Ich habe auch keine besondere Lust an Sprachspielen, es wird immer so ein besonderer Effekt hergestellt, der mir nicht gefällt, der so den Willen hat, den Sinn zu strapazieren. Das passiert ohnehin auch mit einer Sprache, die gerade das Ungeheuerliche in einem ganz gewöhnlichen Ausdruck bringt. Auch da wird natürlich das Disparate sehr eng oft zusammengebracht, ein Verfremdungsmechanismus eingesetzt, in dem sich etwas reibt und Widerstand entsteht. Das kann aber mit ganz einfachen Mitteln geschehen, das kann natürlich auch mit so einer Sprachwillkür entstehen, indem man die aberwitzigsten Konstruktionen herstellt, um da den Witz herauszuschlagen und den Widersinn, der in der Sprache genauso steckt wie der Sinn. Man kann das mal demonstrieren, aber das hat mich als Möglichkeit nicht weiter interessiert.

*V.:* Was ist das für ein Sensorium, mit dem man diese beiden Dinge unterscheidet?

*B.:* Bei Sprachspielen würde ich schon sagen, es ist eine sehr demonstrative, exhibitionistische Möglichkeit der Sprache, zu zeigen, was man an unterschwelligen Nebenbedeutungen hervorzaubern kann, so daß sie die dominierenden Bedeutungen werden. Für mich werden die Sprachspiele so aufgebaut wie Fallen für Dümmere, und sie haben für mich etwas Hämisches – vielleicht weil sie mir mehr aus dem Kabarett und Nonsensbereich bekannt geworden sind. Obwohl ich das nicht denunzieren möchte, es ist immerhin eine Möglichkeit, die in der Sprache steckt, und wenn das ein Valentin gemacht hat oder ein Alfred Jarry, dann finde ich das sehr erfreulich. – Nun kann einer sowieso nicht die ganze Palette der Möglichkeiten der Sprache für sich in Anspruch nehmen und für sich benutzbar machen. Es gibt eine Beschränkung, die einem eigentlich, je länger man sich mit der Sprache beschäftigt, immer enger wird: die eigene Möglichkeit. Es ist einerseits ein Expansionsprozeß, den man, wenn man Schriftsteller ist, durchmacht – es müßte nicht nur beim Schriftsteller so sein, das sollte für den Menschen überhaupt gelten –, daß die Sprache prinzipiell immer verfügbarer wird, die Ausdrucksmöglichkeiten immer reicher werden auch mit seinen Sprecherfahrungen. Gleichzeitig entsteht aber so etwas wie eine Beschränkung auf die Eigentümlichkeit, auf die eigentümlichen Möglichkeiten des Subjekts in der Sprache. Es ist eine Bewegung, reicher an Ausdrucksmöglichkeiten zu werden, aber zugleich sich zu beschränken auf die spezifische eigene Stilmöglichkeit.

*V.:* Ich möchte noch einmal zurückkommen auf die Ober- oder Untertöne der Sprache. Ist nicht bei der Lyrik der Satz angebracht: Der Ton macht die Musik? Geht es nicht gerade um die mitschwingenden Ober- oder Untertöne bei der Lyrik?

99

*B.:* Sicher, generell. Ich glaube, daß man bei jedem Menschen lauscht und horcht auf die Eigentümlichkeit. Genauso wie kein Mensch aussieht wie der andere, diese Unterschiedlichkeit gewahrt ist sogar in der Masse, so ähnlich ist es auch, wenn man jemanden an seinen Körperbewegungen, man kann auch sagen, an seiner Körpersprache erkennen kann. So kann man ihn auch in den Sprachbewegungen erkennen, die ihm eigentümlich sind.

*V.:* Mit dem ‹Ton› verbinde ich folgendes: Das Kind lernt, wenn die Mutter spricht, die Sprache innerhalb einer Einheit mit Bewegung und Geruch als Schall, als Ton, und erst ganz langsam wächst es hinein in diesen gewaltigen Sprachkosmos, von dem es stückchenweise hier ein bißchen, da ein bißchen kennenlernt. Kann es sein, daß die Lyrik immer wieder an dieses direkte, unreflektierte, unmittelbare Erleben der Sprache als Klang erinnert, daß Lyrik immer wieder aus dem Sprachzeichen zurückgeht in den Klang, sei es nun durch Reime, Alliterationen oder ähnliches. Der Spracherwerb war ja auch ein Auseinanderreißen dieser spontanen Einheit von Klang und Mitteilung, und will Lyrik nicht immer auch zurück zu dieser direkten Kommunikation?

*B.:* Ich halte das durchaus für möglich, obwohl Sie das sehr ausgeführt haben wie eine Theorie, daß eine Verbindung wiederhergestellt wird zu dieser frühen Unmittelbarkeit – künstlich natürlich. Es ist durchaus möglich, daß dieses mythisch Erlebte da wieder zum Vorschein kommt auf eine sublimierte, auf eine Kunst-Weise, und gerade im Gedicht etwas wiederherstellt von dieser Erlebnisweise der Sprache. Es ist nur ein Beispiel: Ich habe gerade in einem Prosasatz geschrieben, daß ein Mann und eine Frau miteinander sprechen, und es ist so ein Moment, wo es um nichts geht, in dem, was sie einander sagen, und es steht auch quasi als Kommentarsatz dabei, daß es unwesentlich ist, was sie zueinander sagten, und es war nur das Sprechen, das erfahren wurde, nicht mehr die Information. Die Information in dem Sprechen, in den einzelnen Wörtern und Sätzen war herausgenommen, weil die Situation selbst sich darum herum geschlossen hatte und die Situation komplett war und keine Information nötig war. Die Funktionalität war geradezu herausgesogen, aber das Sprechen war notwendig, es war nichts anderes mehr da.

*V.:* Ich möchte einen anderen Aspekt ansprechen: Könnten Sie Ihre Sprache als ‹Muttersprache› bezeichnen? Als Gegensatz dazu möchte ich eine Äußerung Brechts wiedergeben: ‹Am Anfang war nicht das Wort, es ist am Ende, es ist die Leiche der Dinge.›

*B.:* Ich möchte erst einmal sagen, daß ich das Wort ‹Muttersprache› nur als Konvention benutzen kann, aber so könnte ich es auch ohne Skrupel benutzen. Man erschrickt etwas: Muttersprache. Mir hat ein DDR-Kollege gerade geschrieben, daß auf dem Zeugnis seiner Nichte nicht mehr ‹Deutsch› steht als Unterrichtsfach, sondern ‹Muttersprache›. In dem Zusammenhang finde ich das geradezu bösartig. Das ist nicht DDR-spezifisch, nehme ich an, das ist Trend-spezifisch und vielleicht ist es sehr deutsch, das könnte hier in einer anderen Konstellation genauso geschehen. Das nur als kleine Fußnote dazu. Den anderen Teil der Frage ...

*V.:* Sprache als Leiche der Dinge. Mit Muttersprache assoziiere ich, daß Erleben in der Sprache enthalten ist, daß Sprache gesammelte geschichtliche Erfahrung enthält, also auch Volksleben.

*B.:* Natürlich, niemand kommt je heraus aus den Bedingungen, die vor allem Sprachbedingungen sind, wie wir wissen. Es ist eigentlich etwas müßig, und ich habe auch ein Unbehagen dabei, mir klar zu machen, was es heißt, in der deutschen Sprache zu leben, eine deutsche Sprachgeschichte zu haben. Die Pervertierung der Sprache scheint mir allerdings im Deutschen auf eine besondere Weise gelungen, daß nämlich die Öffentlichkeitssprache schon identisch ist mit der Sprache der Technokraten beispielsweise, mit der technischen Sprache, daß soviel in die Umgangssprache überführt ist, als sei es gar nichts, daß eine Technifizierung der Sprache eigentlich droht. – Es gibt etwas, was mir im Vergleich mit anderen Sprachen am Deutschen problematisch erscheint, das ist so etwas Stakkatohaftes, so eine Entschiedenheit – es kommt aus dem Gefühl bei mir, aus dem Klang, ich kann das nicht begründen, es ist so etwas, was einem manchmal keine Luft läßt – etwas Eigentümliches hat sich in der Sprache festgesetzt, vielleicht gerade durch neue Imperative, durch neue Signalfunktionen. Es gibt da bestimmte Konstruktionen, bei denen ich zusammenzucke, wenn ich sie höre, die ich auch unbewußt vermeide, wenn ich schreibe, und ich suche dann eine andere Konstruktion, eine Ausweichmöglichkeit. Ich könnte jetzt kein Beispiel nennen, aber es gibt diese Konstruktionen ständig in der Umgangssprache, und auch in der Belletristik kommen sie durchaus vor, Konstruktionen, die für mich nicht handhabbar sind. Da kann man nichts objektiv ableiten, es sind die imperativistischen Sprechweisen, die mir widerstreben, die eine Entschiedenheit haben, die mich so zusammenzucken lassen.

V.: Noch einmal zur Kritik und Zerstörung der Umgangssprache: Benn hat einmal gesagt, daß die Lyrik eine Art Zertrümmerung der Realitätserfahrung durch Sprache sei, und daß erst die Zerstörung der Realitätserfahrung in der Sprache Raum schafft für das lyrische Gedicht.

B.: Das kommt mir sehr absolut vor, das könnte nie eine Formulierung sein, die mir nahe ist. Manches von Benn kann mir schon nahe sein, aber nicht solche apodiktischen Dinge. Ich glaube allerdings schon, daß damit ein bestimmtes Vorverständnis von Stereotypen zusammenhängt. Ich habe auch schon einmal so ein paar Dinge gemacht, in denen nur Klischees und Stereotypen wiederholt werden und dadurch außer Kraft gesetzt werden.

*V.:* Ja, wir können ja etwas anderes nehmen. Ich erinnere mich, daß Sie in dem Nachwort eines Gedichtbandes geschrieben haben (‹*Das Auge des Entdeckers*›, Reinbek 1972, S. 113), daß Sie versuchten, das Wort ‹Auge› mit dem Auge selbst zu bezeichnen. Da ist für mich der Wunsch ablesbar, daß nicht mehr das Wort die Realität bezeichnet, sondern daß dieses Verhältnis umgekehrt wird, und da ist für mich etwas drin von der Zertrümmerung der Realitätserfahrung durch Sprache.

*B.:* Ja, das ist sicherlich auch richtig. Ich kann dann nur mit dem Satz vom ‹Raum schaffen› nichts mehr anfangen, das klingt mir dann auch schon wieder zu imperialistisch, als ginge es wie bei Benn überhaupt um das absolute Gebilde, das Absolute schlechthin. Was mir allerdings einleuchtet, und das würde ich auch als Antwort sagen, daß die Sprache eine Balance halten muß, eine Identifikationsmöglichkeit lassen muß, aber die leichte Identifikation auch irritieren muß, daß da ein ständiger dialektischer Gebrauch in Gang bleibt zwischen der Identifikation und der Irritation, eine ständige Balance und ein Spannungsverhältnis, das nie verläßlich wird und nie simpel schwarz auf weiß wird als eine Funktionsfalle von Sprache und sich dieser Polarität immer bewußt ist.

*V.:* Wobei damit das Allerweltsverständnis kaputtgemacht wird, daß ein Wort und ein Ding eindeutig aufeinander bezogen sind.

*B.:* Ja, das muß auch gestört werden, wenn es auch nicht zerstört werden muß, es muß die Relativität sichtbar gemacht werden.

*V.:* Und ich nehme an, das hängt damit zusammen, was Sie am Anfang gesagt haben, daß Sie eine bestimmte Konstellation herstellen, wenn Sie Gedichte schreiben, in der die alltäglichen Zusammenhänge verfremdet werden.

*B.:* Ja, weil es sonst nicht erkennbar wird, weil es sonst in der allgemeinen Wahrnehmungsunfähigkeit stecken bleibt.

*V.:*: Ich möchte jetzt etwas ansprechen, das bisher immer nur angedeutet wurde. Es wird sehr häufig, vor allem im Zusammenhang mit Freud behauptet, daß Lyrik sehr viel mit Tagträumen zu tun hat, mit Wunschphantasien, die spontan die Alltagserfahrung durchbrechen und untergründige Störungen und Wünsche andeuten.

*B.:* Ich halte das nicht für falsch, wenn man so eine These aufstellt, aber ich weiß nicht, ob man damit nicht ein Phänomen erklärt, und damit ist es erklärt. Ich glaube natürlich, daß die poetische Sprache, ich möchte nicht sagen die lyrische Sprache, daß die poetische Sprache einen Abglanz und eine Ahnung geben kann vom anderen Leben – nicht vom anderen Leben im Sinne von Utopie, von einer anderen Gesellschaft, das mag im einzelnen konkreten Fall auch zutreffen, aber prinzipiell von dem Untergründigen, von der tiefen Kontemplation, die in uns stattfindet, wie sie in Träumen sich durchaus sehr vielfältig äußern kann, auch im Sinne von Bilder- und Sprachuniversalität. Ich glaube, daß sich das, worüber wir vorhin gesprochen haben, damit verbindet, mit dem Authentischen, Eigentümlichen, das in jedem von uns drinsteckt, das meist aber eigentlich zugedeckt wird von dieser Funktionalität, von diesem Allernotwendigsten, wo das Allernotwendigste dem einzelnen übriggeblieben ist, sich zu äußern und zu sagen, daß er am Leben ist, daß er da ist. Während diese andere Welt eine Ahnung gibt von dem unglaublichen und ständigen Chor, Menschen-

Sprach-Chor, der sich unentwegt, die ganze Geschichte hindurch, aufgebaut hat, in vielen Sprachen und über viele Membranen, wo geradezu ein kosmischer Stoffwechsel sich unentwegt fortgesetzt hat – wenn man das Bewußtsein hat, da mit drinzustecken und da eine Zunge zu sein, weiter nichts, aber da heran zu müssen, an die Eigentümlichkeit – das Eigentümliche wird ja exemplarisch auch für andere, niemals jemand, der sprechen will wie alle sprechen, der wird niemals exemplarisch für die Masse oder eine Vielzahl von Menschen...

V.: Das ist eine Sache, die Sie vielen Wissenschaftlern sagen müßten...

B.: Ja, aber ich wollte eigentlich noch einmal in eine andere Richtung damit, was eigentlich das andere Leben ist. Ist das unsere Existenz oder gehört das wegrationalisiert, gehört das versteckt, wie man früher die Irren versteckt hat in der Familie?

V.: Können wir dazu noch einmal zurück zu den Tagträumen? Ich verbinde damit auch in meinem eigenen Erleben, daß plötzlich im normalen Tagesablauf Erinnerungsbilder von Ruhe und Glück, von unterdrückten Bedürfnissen den Alltagsteppich durchbrechen, der da von Minute zu Minute gewebt wird. Und daß das In-Sprache-Fassen dieser Bilder eine wesentliche Eigenschaft der Lyrik ist.

B.: Kann man das generalisieren? Aber ich würde eine solche Definition akzeptieren...

V.: Ich will das nicht zur erschöpfenden Definition generalisieren, sondern nur als eine Tendenz darstellen.

B.: Das könnte signifikant sein, ich nehme das auch mal an, ich habe dagegen nichts Besseres zu setzen, was Lyrik denn sonst sei.

*V.:* Sind das aber nicht Punkte, in denen man sich selbst viel besser erfährt als im täglichen Umgang, sind das aber nicht auch Punkte, die man lieber unterdrückt, weil sie das tägliche Leben stören? Das schockartige Wiedererkennen verdrängter Bedürfnisse ist ja eine Bedrohung der Alltagsexistenz.

*B.:* Was Sie da ansprechen ist das Problem poetischer Erkenntnis überhaupt, und das ist mit Schmerzen verbunden. Es kann bis zum physischen Schmerz gehen – ein bestimmter Blick, jeder kennt den Ekel bei einem bestimmten Anblick, so kann das auch sein bei einer plötzlichen Epiphanie, einem Erkenntnismoment – immer jetzt abgesetzt von wissenschaftlichen Erkenntnissen im Labor –, sondern die unmittelbare Wahrnehmungserkenntnis, die plötzlich durchbricht, manchmal herbeigeführt durch Erkennenwollen und manchmal unwillkürlich in einer poetischen Wahrnehmungsweise.

*V.:* Wer wird schon gern an Bedürfnisse erinnert, die man gerade ...

*B.:* ... die zu unterdrücken man gelernt hat.

*V.:* Und aus begreiflichen Notwendigkeiten.

*B.:* Ja, durchaus. Niemand kann behaupten, daß die Sublimierung der Triebe nur die reine Strangulation oder Amputation bedeutet, es ist auch ein Maß von Notwendigkeit darin, und die totale Freisetzung ist ganz unvorstellbar.

*V.:* Kann man dann sagen, daß die Lyrik ein Weg ist, auf dem das Ich des täglichen Lebens in Kommunikation treten kann mit dem Selbst der unterdrückten Wünsche und Sehnsüchte?

*B.:* Ja, das würde ich so akzeptieren. Es kann ja nicht der eine Bereich völlig unterdrückt werden, dann ist die Komplexität weg, dann ist die Eindimensionalität in der Sprache durchgesetzt, dann ist sie als Projekt komplett. Aber es ist ja nicht denunziert damit die einfache Verständigung über einfache Dinge, ob es kalt, ob es einem warm ist, das kann ja sehr intensiv sein, vom Verständnis unterfangen sein, so daß ein wunderschöner Dialog vorstellbar ist in ganz einfachen, banalen Zusammenhängen. Aber die Momente, in denen alles so einfach wird, dürfen natürlich nicht um jeden Preis erkauft sein, daß alles Schwierige, alles schmerzverursachende Erkennen einfach wegfällt und nur noch das Angenehme zu Wort kommt, das Eingelullte, die Grunz-Sprache des Sich-Wohl-Fühlens.

*V.:* Wie hängt diese schockartige, zumindest irritierende Selbsterfahrung zusammen mit der Sprache, die doch eine gesellschaftliche ist, denn diese schmerzhafte Selbsterfahrung ist doch höchst privat und existentiell – wie es z. B. Rilke in einem Gedicht sagt: Du mußt dein Leben ändern!

*B.:* Vielleicht geschieht Poesie auch aus Angst zu verschwinden, bloß noch vereinnahmt zu werden von der Gesellschaftssprache, der Sprache der Oberflächenwahrnehmung, der Nutzanwendung. Und selbstverständlich ist auf der Gegenseite das poetische Erkennen eine ständige, in dem Medium selbst konservierte Erwartung, ein Erlösungswunsch eigentlich, der aber nie eingelöst wird, der immer unter der Schwelle bleibt, aber immer an der Schwelle zerrt und sie oft auch ein Stückchen weiterschiebt. Aber daß es nie kommt, das bleibt das Geheimnis auch der eigenen Identität, es wird nie ganz befreit aus der Einsamkeit des einzelnen, es wird nie ganz zur Sprache und zum reinen Ausdruck, zur Selbsterkenntnis, es bleibt immer in dem Kampf drin, und deshalb auch der Schmerz, auch diesen Moment der Erkenntnis nicht halten zu können, und ihn nicht durchhalten zu können und wieder zurücksinken zu müssen in allgemeinere Formen von Verständnis, von Sprechen. Ich glaube, daß die poetische Sprache – ich benutze das jetzt so: die poetische Sprache, was kann die poetische Sprache alles sein, sie kann in so vielen Formen erscheinen, der Umgangssprache näher oder sich sehr weit von ihr entfernend – ich glaube, daß sie prinzipiell eine Art Resistenzform ist, ein Sich-Verwahren gegen die Ansinnen des eindimensionalen Realen, ein immer wieder gesetzter Kontrapunkt. Ja, ich würde schon sagen eine Form von Resistenz, die in der Sprache selbst bleiben muß und auch hinaustreten und wieder zurücktreten muß in die Sprache. Es klingt sehr geheimnisvoll, und es klingt andererseits auch sehr banal, aber ich kann's anders gar nicht ausdrücken, was es eigentlich als Vorgang bedeutet, warum Menschen da sich hinsetzen und Gedichte schreiben, warum sie sich unterscheiden in der Wortwahl, in den Satzkonstruktionen, in dem Aufbau der Verse, warum diese Ausdrücklichkeit in dem einzelnen Vers. – Eine einfache Erklärung gibt es, die haben wir jetzt öfters schon angesprochen, daß die Verfremdung notwendig ist, um die Sprache selbst Erkenntnisse hervorbringen und Wahrnehmung transportieren zu lassen. Es muß sich entfernen, es muß etwas fremd werden und gleichzeitig zurückblicken können auf das Fremde der sogenannten normalen Sprache.

V.: Das Besondere der lyrischen Sprache besteht eben darin, daß diese Erkenntnis nicht in erster Linie die Erkenntnis der Außenwelt ist, sondern die Erkenntnis der Sprache selbst, dessen, was an Erfahrungen, Gelebtem und Ungelebtem, an Gedanklichem und Emotionalem in ihr enthalten ist.

B.: Ja. Aber es geht ja dennoch nicht um die Sprache, sondern in der Sprache sind Dinge noch da, die sonst nicht mehr da sind, die nur noch in der Sprache aufbewahrt sind – insofern ein Selbstfindungsprozeß in Sprache, als ginge es um die Sprache selbst. Man kann annehmen, es ginge um die Sprache selbst, aber nur deshalb, weil die Sprache Leben enthält, weil sie abgestorbenes und vergessenes, kaschiertes Leben enthält, und wenn man sich da mit der Sprache beschäftigt, können all diese Möglichkeiten wieder zum Vorschein kommen.

V.: Ist das eine Möglichkeit, die Lyrik gesellschaftlich oder sogar politisch zu verstehen?

B.: In einem indirekten Verständnis würde ich das schon bejahen, in dem Verständnis, in dem nichts unpolitisch ist. Das ist ein weites Feld. Explizit politisch, wie man einen politischen Bereich ...

V.: Es geht nicht um konkrete Handlungsanweisungen, sondern in dem Sinne, daß Sprache eine öffentliche Angelegenheit ist, um die man sich kümmern muß, der es schlecht gehen kann, der es gut gehen kann, die verkümmern kann und gepflegt werden muß, die die eigentliche Basis des öffentlichen Lebens ist.

B.: Da stimme ich Ihnen zu, nur was sich daraus für eine Konsequenz ergibt, die kann man sich vorstellen, die traditionelle Sprachpflege. Die schulpolitisch und kulturpolitisch betriebene Sprachpflege ist sicher notwendig, aber sie ist nicht das Eigentliche, was die Sprache am Leben erhält. Sie hat etwas Therapeutisches, etwas museumshaft Pflegerisches, was die Sprache an sich gar nicht nötig hat, wenn genug Leute Gebrauch von der Sprache machen, wenn genug Leute wissen, was Sprache eigentlich bedeutet. Und das kann eigentlich nur über diese Eigentümlichkeit wieder gehen, indem viele Eigentümlichkeiten seltsam exemplarisch werden auch für Leute, die ihre Eigentümlichkeit vielleicht noch gar nicht entdeckt haben, sie werden auf etwas gebracht, das für sie sehr wichtig werden kann. Wie wird Sprache authentisch? Nur über die Person eigentlich, die spricht. Woran erkenne ich jemanden? Kann ich ihn als jemand bestimmten erkennen? Und da müßte eigentlich Gesellschaft erst anfangen. – Da steckt natürlich auch der Aspekt drin, was Konservativismus heute ist, wie modern die im politischen Lager Konservativen geworden sind, und wie altmodisch und konservierend sich die Progressiven verhalten – ich will mich mal so dazurechnen, als jemand, der dieses Verständnis von Sprache hat, daß Sprache nicht verkommen darf in Futurologie oder Wirtschaftsplanung und ihren Sprachbereichen.

*V.:* Die Erinnerung hat ja auch so einen konservativen Beigeschmack, obwohl auf ihr unsere Identität beruht.

*B.:* Das, was erhaltenswert erscheint aus den Erinnerungen, muß lebendig bleiben, das ist zunächst die Sprache selbst, in der alles ruht, und dann sind es auch Dinge, die wir meinen mit der Sprache, die die Sprache auch sind. Es gibt da eigentlich gar nicht diese unüberbrückbare Distanz zwischen der Bedeutung, den Wörtern und der Existenz der Dinge. Sie sind nicht auseinandergerissen, die Sprache als Symbol- und Zeichensystem und die Dinge, das erscheint uns nur so.

*V.:* Sie haben mal in einem Nachwort geschrieben, daß Sie davon ausgehen, daß Ihnen ein paar schöne Gedichte gelungen seien. Was ist da dieses Schöne?

*B.:* Ich habe das einfach so subjektiv behauptet, ein Etikett, das ich mir herausgenommen habe, ohne ein Einverständnis mit einem Leser zu suchen. Schön ist vielleicht nur eine Empfindung; es kann eine Erkenntnis sein, wenn es ein Epiphanieerlebnis ermöglicht. Aber das Empfinden von Schönheit ist, stelle ich mir vor, so ähnlich wie das Sich-Wohl-Fühlen, das Es-Bequem-Haben, das überhaupt nicht im klassischen Sinne die Attribute des Schönen enthalten muß. Wenn ein Einverständnis hergestellt wird – auch mit einem Gedicht –, dann fühlt man sich wohler, es gibt nie eine Schönheit an sich, es ist eine Platitüde, das so zu sagen.

*V.:* Ja, man muß wirklich davon ausgehen, daß es bestimmte Arten von Lyrik gibt, die einem liegen und andere Arten, mit denen man nichts anfangen kann, und daß das legitim ist. Die Art von Lyrik, mit der ich etwas anfangen kann, hat etwas zu tun mit Zeiterfahrung und Geschichtserfahrung. Sie verbindet die sozioökonomische Geschichte auf der einen Seite mit der ganz subjektiven Zeiterfahrung und der individuellen Geschichte. Es ergibt sich da bei mir eine andere Form der Geschichtserfahrung, als wenn ich den ‹Holocaust›-Film sehe – auch wenn der mich sehr gepackt hat –, und ich habe das dunkle Gefühl, daß diese Geschichtserfahrung noch tiefreichender ist.

*B.:* Ich möchte trotzdem partiell eine Antithese dazu vorbringen. Kann nicht in unserem begrenzten Schönheitsgefühl eine literarische Ästhetik dem Schönheitsbegriff näherkommen – auch wie wir ihn heute empfinden –, wenn er die Universalität aufgibt, wenn er sich im Bewußtsein reinigt von allem, wenn er idealisiert, wenn er etwas idealisiert, und zwar nur um der Affirmation zu entgehen? Nur um das Bestehende, die Verhältnisse zu leugnen, und aus Erkenntnisgründen und ästhetischen Gründen seine Figuren idealisiert, um sie der Wirklichkeit gegenüberzustellen – gegen alle Erfahrungen idealisiert, was ja immer den Geruch hat von Harmonisierung. Ich sehe das zum Beispiel in einigen Figuren von Handke, der Figuren fast kahl werden läßt, sie sagen in Momenten der Drangsal nur edle Sätze und bewegen sich auch so, und es ist ein totaler Kontrast hergestellt. Man kann das Fehlende beklagen, aber man kann gleichzeitig sehen, daß etwas von dem Schönheitsbegriff, auch sogar von unserem Schönheitsbegriff, darin stärker herauskommt als in einem Realismus, der die Realität als Vorlage akzeptiert, der mimetisch an ihr entlangfährt und sie immer als Kontrollinstanz akzeptiert. Es ist eigentlich eine Frage von mir, ob das nicht eine Strategie sein könnte, eine ästhetisch-poetische Strategie, die Kunst so weit der Realität zu entheben, um Realität überhaupt erst sichtbar zu machen. Das ist natürlich eine Konfrontationsstrategie, aber die könnte doch eine Wahrheit sagen. Die müßte natürlich Geschichte abweisen, Vorgeschichte, bestimmte Dunkelzonen einer individuellen Vorgeschichte in der Fiktion ausklammern beziehungsweise nur ahnbar machen in ganz kleinen idealisierten Momentaufnahmen.

*V.:* Daran möchte ich noch eine Frage anhängen. Eher war ja die Tendenz die, daß die Geschichte aus dem Gedicht, der Erzählung herausgehalten wird, daß in einem poetischen Innenraum ein Gegenbild zur Realität auftaucht. Die übliche Verfahrensweise der wissenschaftlichen Interpretation läuft aber in der Regel genau umgekehrt. Ein Gedicht wird vor allem biographisch und historisch in der Geschichte aufgelöst. Auch sicher gute Interpretationen gehen davon aus, daß das Gemeinte außerhalb des Textes, in der geschichtlichen Realität zu suchen sei.

*B.:* Es sind ja diese Interpretationsmethoden immer möglich, es läßt sich ja immer etwas zur Rechtfertigung dieser Interpretationsmethoden sagen – solange sie nicht das Gedicht rechtfertigen durch Erklärungen, durch Aufdeckung, als sei die Interpretation notwendig, als gehöre sie zum Gedicht. Es ist ein Zugang, eine Möglichkeit, ein Zugang, der eigentlich doch offen sein müßte und sollte – eine Tür ist zu öffnen. Ich habe immer den Eindruck, daß man mit dem Gedicht fertig werden will, daß man's in den Griff kriegen möchte, wie man mit allem irgendwie fertig werden will. Ich werfe das nicht Philologen oder Lehrern vor, oder Leuten, die sich professionell damit beschäftigen, das ist nicht verwerflich eigentlich. Es ist dieser Versuch, eine Tür zu öffnen, die längst offen ist, nicht verwerflich. Jedem Leser fehlen auch bestimmte Voraussetzungen.

V.: Nehmen wir einen konkreten Punkt: Ist es legitim, Lesarten in eine Interpretation hineinzunehmen, also etwas, was der Dichter z. B. wieder ausgestrichen hat, was dem normalen Leser gar nicht zur Verfügung steht – darf man das, als gehöre es zum Text, mit hineinnehmen?

B.: Ich kann mir keine Möglichkeit vorstellen, das zu unterbinden oder als Sakrileg zu behandeln. Aber die Frage ist, ob es wirklich sinnvoll ist und eine neue Dimension erschließt, und wenn es sie erschließt – hat die noch etwas mit dem Gedicht zu tun? Ich weiß nicht, ob das sinnvoll ist und ob es nicht substantiell an dem Poetischen vorbeigeht. Ich muß das noch einmal wiederholen, ich glaube, daß ein Triebmoment dahinter steckt, mit etwas fertig zu werden, ihm die Schärfe zu nehmen, den Schmerz der nachschöpfenden Erkenntnis, der poetischen Erkenntnis in der Rezeption – den Schmerz nicht aushalten zu müssen, sondern bereits erklärt zu haben. Ich hüte mich davor, jemandem, der Gedichte interpretiert, Vorwürfe zu machen, ich habe auch in Interpretationsversuchen ganz anregende Diskussionen erlebt, nichts darf man verabsolutieren. Aber man muß überprüfen, ob nicht diese Komponente wieder sehr stark wird, während man sich damit beschäftigt, den Text zu zerlegen und zu analysieren, ob man nicht dabei die Einzelteile des Körpers vor sich liegen hat, des Sprachkörpers, aufgelöst in allgemeine Sprache, und die Substanz ist entfleucht, man hat sie nicht mitzerlegt. – Es gibt Seitentüren, die einen an dem Schrecken vorbeilassen, dem Schrecken des Blicks oder dem Schrecken der Verfremdung.

V.: Ist dann nicht doch der Vorgang der Interpretation verwerflich? Sie gibt ja vor, das Gedicht in eine Sprache zu übersetzen, die leichter verständlich ist, der Text soll ja zugänglicher gemacht werden – und ist nicht dieser Zugriff des Interpretierenden einer, der dem Gegenstand die Schärfe nimmt?

*B.:* Ja, das habe ich auch so gemeint. Es wird eine Populärfassung hergestellt, die süffiger ist. Es muß nicht das Gedicht geschützt werden, viele Gedichte sind ja auch ganz einfach und werden furchtbar durchinterpretiert. So kann man damit nichts zu schaffen haben, man muß dann sagen können, so eine Möglichkeit kommt für mich nicht in Frage.

# (Die Brüskierung der Erwartungen)
## Zu den ersten Gedichtbänden von
## Rolf Dieter Brinkmann

### I.

Schon die Gedichte des ersten Bandes von Rolf Dieter Brinkmann (‹*Was fraglich ist wofür*›, Kiepenheuer & Witsch 1967) haben nichts zu tun mit jeder gutgemeinten Zeitgenossenschaft in Poesie. Es sind Gedichte ohne das damals herumgeisternde Pathos der Moderne, des sozialen, humanen, manchmal auch schon politischen Engagements, ohne die Behauptung, die Sprache sei autonom, also konkret, ohne die künstlerische Ambitioniertheit aller möglichen kleinen und großen «Schreibweisen».

Auch als Beispiele für Traditionslosigkeit wurden sie genommen, was sie dem Anschein nach auch waren. Nicht Goethe, nicht Novalis, Hölderlin oder Brecht – kein Anspruch, keine Erinnerung, keine Verbindlichkeit.

Statt dessen Material, «was wirklich alltäglich abfällt» (Brinkmann). Es sind Momentaufnahmen, Momente gedrängter, überscharfer Erscheinungen, die das Auge wie jäher Lichteinfall überwältigen. Doch der so gesehene Gegenstand soll durch die ungewöhnliche Wahrnehmungsstärke nicht selber ungewöhnlich werden; er bleibt vielmehr stecken oder sinkt zurück ins einförmig Allgemeine.

Etwa dieser leere banale Moment zwischen zwei Menschen, in dem es nur, zum Beispiel, eine verrutschte Strumpfnaht gibt, zwei Brustwarzen, einen krausen Haaransatz –, darf er bestehen bleiben in neuer Bedeutung, oder hat nur die Wahrnehmung für sich selbst das Bild davon, in Wörtern, beiseite geschafft?

Widersprüche genug, und keiner löst sich durch Befragung einfach auf: der öde Moment ist plötzlich die Attraktion des Banalen, *nur* gesehen und direkt aufgeschrieben, ohne Tiefe oder Doppelbödigkeit. Ganz gegenständlich wird auf einmal das Philosophem, Leben sei Schein. Das Leben erscheint in diesen Gedichten wie ein Totenkult, als ein bis zum Überdruß wiederholtes Abfeiern toter Werte und Normen, mit denen jedes Detail, bis zum Sandkorn, aufgeladen ist. «Die Toten bewundern die Toten.»

Dagegen setzt Brinkmann bald eine ganz andere Skala, Mythen, wie sie der Alltag absichtslos herstellt, psychedelische Räusche, Kinoszenen, Kinolandschaften, Kinostilleben, die große Fata Morgana der Werbung, Reiz und Schock. Ist das im Gegensatz der zu Schein gewordenen Realität der zu Realität gewordene Schein? Brinkmann hat nie etwas in solchen Konklusionen zusammengefaßt. Er wollte nichts befrieden und nichts beruhigen. Aber diese Reizwelt schien sich für ihn stärker zu bewegen, schien lebendiger zu leben, und wie nebenbei verwandelte sie noch ihre Markengestalten in mythischen Rohstoff. Wenn da gesprochen, geschlagen oder auch nur aufgetreten oder abgegangen wurde, dann geschah das ja viel wirklicher, sichtbarer, direkter.

In den beiden folgenden Bänden (‹Die Piloten› 1968; ‹Gras›, 1970, beide K & W) wagte sich Brinkmann noch weiter vor, sowohl in das banale So-Sein der Dinge, als auch in die Nähe der Ausdruckslosigkeit der Sprache. Dies allerdings bei vollem Bewußtsein und Risiko. In manchen Gedichten erreichte er so etwas wie pures Außen, Oberfläche, fast völlige Distanzlosigkeit in der Sprache, d. h. er näherte sich absichtsvoll dem Schlagertext, mochte es sich dabei um die grell geschriebenen Slogans im amerikanischen Rock handeln oder um hingebrabbelte Nichtigkeit. Er fand dabei jene Destillationen des Nicht-sprechen-könnens, die er in umgekehrtem Vorgang, mit aller Energie anstrebte, den Oberflächen-Ausdruck heutiger Realität, eine Form, die im Sinne von Tradition und Zeitgenossenschaft prinzipiell Anti-Form sei. In seinem Vorwort zu ‹Die Piloten› schrieb er: «Man muß verges-

sen, daß es so etwas wie Kunst gibt! Und einfach anfangen.»

Dies war ein Schritt, den Brinkmann nicht als erster
versuchte, aber so kompromißlos und radikal hatte ihn
noch keiner wirklich getan. Es hatte Folgen. Es brachte
alle anderen poetologischen Anstrengungen gegen ihn
auf. Und schließlich hatte er eine durch die Geschichte
zerschnittene Tradition noch einmal höhnisch ver-
worfen.

Die Gedichte sind auf ein Beinahe-Nichts zusammen-
gestaucht, sind beinahe nur noch Spuren dessen, was sie
als Gedichte hätten sein können. Sie haben allerdings in
sich die größte Notwendigkeit, wie sie für ihren Autor
selbst Notwendigkeit waren. Auf diesem Wege befinden
sich diese Gedichte, sie wollen Gedichte sein, ohne noch
länger «Gedichte» zu sein; sie wollen vordergründiger
Ausdruck bloß noch vordergründiger Ding- und Bezie-
hungswelt sein.

Daß diese neue Art von Gedichten dennoch beim Lesen wiederum die alte Faszination hervorrufen und dennoch zurückfallen in den Kanon ästhetischer Ausdrucksmöglichkeiten, daß sie gerade durch ihren radikalen
Schritt aus der Tradition heraus solche geradezu stiften,
das bleibt der Widerspruch, der in ihnen mitschwingt,
wie es eine Tatsache ist, daß sie nach wie vor aus Sprache
bestehen.


## II.

Es war der 24. April 1975. Ich arbeitete in einem Dorf in
Niedersachsen. Um zu Hause in Berlin anzurufen, mußte ich etwa zwei Kilometer gehen, an der Kirche vorbei,
dem Gemeinschaftskühlhaus, den zurückliegenden Ge-
höften, den alten Einfamilienhäusern, moosigen Vorgar-
tenmauern, eingeknickten Schuppen und den Transfor-
matorenhäusern. Weit hinten an der Straße die weiß er-
leuchtete Telefonzelle. Meine Frau sagte, Theobaldy habe angerufen aus London, Brinkmann sei von einem

Auto erfaßt und getötet worden, gestern abend. Ich spürte körperlich, wie ich mich weigerte, das zu glauben, aber ich glaubte es sofort. Ich sah meine Hand Kleingeld nachwerfen. Ich verachtete meinen Blick, weil ich das zerfetzte, aufgeschlagene Telefonbuch anstarrte. Es war so hell, weiter weg im Dunkel ein paar Lichter, deren Entfernung schwierig zu schätzen war. Brinkmann trug einen dunklen Anzug, in der Hand eine vollgepackte Reisetasche. Der Kies unter seinen Sohlen machte das Geräusch, das er nicht ausstehen konnte.

Es klingelte an meiner Wohnungstür in Berlin. Die Tür wurde geöffnet und Brinkmann trat ein, mit derselben Reisetasche wie in dem anderen Bild. Er lächelte etwas verlegen und höhnisch, so als ärgere er sich, angekommen zu sein, eine Hand zu schütteln, einzutreten.

Du warst also in Ostberlin, sagte Brinkmann, da fährst du also oft hin, Freunde, haha, Freunde. Nun sag mir mal genau, was du da immer so siehst. Wie sehen die Gesichter der Menschen aus? Wie kleiden sie sich, das ist doch eine wichtige Frage. Oder werden sie alle gleich gekleidet da drüben? Wie bewegen sie sich und was sagen sie, wenn du sie ansprichst?

Brinkmann ging um den Piccadilly Circus herum und betrachtete die Häuser. Manchmal blieb er stehen und schrieb etwas in sein Notizbuch.

Er brüllte, draußen vor den Ateliers der Villa Massimo, ihr verdammten Künstler, ich erschlage euch alle, mit der Stange, dich auch, ja dich zuerst.

In seinem Badezimmer in Köln: er beugte sich über mich, ich hatte einen schlechten *trip* und ging auf dem Steinboden liegend in grauenhaften Bildern herum. Er wischte mir mit dem Handtuch den Schweiß vom Gesicht. Er hatte dicke dunkelblaue Lippen.

Wieder in Rom, er beschimpfte mich, und wollte dann die ganze Nacht gehen und reden.

Er trug einen tomatenroten Schlips zu seinem dunklen Anzug. Ich gebe nichts zur Veröffentlichung diesen Verlagen, rief er, und diesen Lederjacken, feinen Hemden und Stiefeln in den Funkhäusern gebe ich nichts. Hier sind meine Bedingungen, keine fremden, meine.

Abnehmender Mond. Er drehte die Orgelmusik (Frescobaldi) voll auf.

Wir sahen uns mehrere Tage nicht. Dann tranken wir stehend eine Flasche Weißwein in einem Café an der Piazza Bologna.

Sein Hemd war gebügelt, sein Anzug ausgebürstet, seine Schuhe blankgeputzt.

## III.

Mit dem Band ‹Gras›, das sieht man heute deutlicher als damals, war für Brinkmann die Grenze erreicht, die seinen vorsätzlich spontanen Ausdruck noch trennte von der ausgelaugten Realität selbst. Hätte er diesen Weg weiterverfolgt, wäre beides unweigerlich zur Deckung gelangt. ‹Westwärts 1 & 2›, ein Band neuer Gedichte, der kurz vor seinem Tod erschien, eröffnet auch eine neue Perspektive, in der große Imaginations- und Erinnerungsschübe möglich sind, wütende Reflexionen und auch sogar, gegen starken eigenen Widerstand, Auseinandersetzungen mit traditionellen Formen, die bei ihm freilich nie in die gestanzte metrische Einheit zurückführen konnten. ‹Westwärts 1 & 2› wäre allerdings in dieser Dichte und neugewonnenen imaginativen Kraft nicht möglich gewesen ohne die rigide Unterdrückung des Poetischen (in den hier zusammengefaßten Gedichten).

Erkennt man in ‹Was fraglich ist wofür› noch Reste eines kleinbürgerlichen Wohn- und Badezimmermilieus, ein Inventar, im Verschleiß begriffen wie die Redensarten und die herumliegende Unterwäsche, wie die niedliche Sexualität der Warenreklame, die Brinkmann unterläuft, indem er ihnen Aggressionen des Alltags oder Gewalthandlungen aus Filmen unterlegt, so zeichnet sich in den beiden folgenden Bänden eine starke Affinität zu den tautologischen Tricks der Pop-Ära ab. So benutzte Brinkmann häufig auf ironische Art die Strophenform, indem er die typografischen Merkmale von Drei- und Vierzeilern willkürlich nachstellte, ohne Rücksicht auf metrische Regeln, Syntax oder gar Anfang und Ende einzelner Verse.

### Lebenslauf einer Frau

Jeden Morgen derselbe nackte
Körper. Da ist der Rest Milch
in der Flasche, und da sind
Haare im Kamm. Sie zieht sich

ihre Strümpfe an und steht
dann da. Der Tag ist bald schon
wieder aus, und sie steht da in
Strümpfen ganz allein. Wenn sie

noch etwas länger stehenbleibt
wird dieser Milchrest in der
Flasche sauer und die Haare
in dem Kamm werden ganz alt. Ein
Tag vergeht so schnell ...

Die Wörter sind Katalogwörter, Verpackungswörter, mit Glimmer bestäubt, also Coca Cola, Chewing Gum, Softeis, Ketchup, Persil, Transistor, Technicolor undsoweiter; das Personal trägt oft ebensolche Markennamen, nämlich Chaplin, Bogart, Ava Gardner. Einige Gedichte nannte Brinkmann «Populäre Gedichte». Nahezu alle Erwartungen, die gemeinhin an Gedichte gerichtet werden, hat er hier mit Bedacht brüskiert. Vorsätzlich sind die Grenzen des Genres Poesie von ihm einfach weggewischt worden. Was hier alles ein Gedicht sein kann, konnte vordem nicht Gedicht sein, ein halber Gedanke in Worte oder auch nur Silben aufgelöst, eine Beobachtung durch das Fenster, die von einem Zitat abrupt wieder aufgehoben wird, ein Jargonfetzen mit alogisch aufgesetzter Un-Pointe. Ein oder zwei gewöhnliche Sätze mit Komma und Punkt, voll ausgeschrieben über die Breite des Satzspiegels. Und immer der Versuch, den gewöhnlichsten Ausdruck mit den gewöhnlichsten Wörtern zu erzielen, nicht zu verwechseln mit dem Klischee, das damit verglichen, meist von gesuchter Originalität ist. Brinkmann demonstrierte damit unsere Verfallenheit an diese Bilder und Dinge, den flachen stupiden Zauber, der von ihnen ausgeht, obwohl er andererseits auch zeigen wollte und gezeigt hat, wie überraschend auch das Gewöhnliche sein kann, wenn es genau gesehen und einfach ausgedrückt wird. So ist in diesen Gedichten immer die ordinäre Beschaffenheit der Dinge, ihr trostloser Zusammenhang die eine Seite, die Kehrseite aber Genauigkeit und Intensität der Wahrnehmung und des Ausdrucks. Mit Schocks versuchte Brinkmann die Verfremdung auf immer neue Höhepunkte zu treiben, auf eine andere Frequenz des Gewöhnlichen, die uns schon einen Schmerz zufügen kann und soll (siehe «Liedchen» in ‹Die Piloten›).


## IV.

Was bedeutete Amerika in Brinkmanns ungewöhnlicher Phantasie? Es war ja nicht Amerika, sondern die Selbstbeleuchtung der amerikanischen Pop-Kultur, die ihm verfügbar geworden war, es waren die synthetischen *good vibrations* der kommerziellen Unterhaltungsindustrie, wie auch die kritischen, polemischen und affirmativen Reflexe darauf in Pop-Malerei, -Musik, -Film und -Literatur. Gerade in der Rockmusik und in der Lyrik fand er bereits, mehr oder weniger ausgeprägt, das, wonach er suchte. Das war spontaner Ausdruck, beiläufige Genauigkeit, da gab es keine hohltönende kunstgewerbliche Rhetorik und nicht die selbstgefällige Ambition, Kunst zu machen. Aber da gab es Anschläge auf das fest in sich selbst ruhende amerikanische Bewußtsein, auf die

Werte und Normen des *way of life*, da gab es viel neue Sensibilität für das Sexuelle. Mit pornografischen Schocks wurde da der saubere, umweltfreundliche Sex behandelt, kurz, eine Gegen(schein)welt zu Disney-Amerika aufgebaut, ein Underground-Amerika, das nicht in *districts*, sondern in *scenes* unterteilt war. Da war ein Aufstand in Gang gekommen, der kulturrevolutionäre Züge trug, ohne aber der Macht der etablierten Semiotik, ihrer Sprache und ihrer Organisationsformen zu verfallen. Da gab es einen William S. Burroughs, der in seiner Literatur Umsturzpläne entwarf. Leslie Fiedler öffnete die Grabkammer des eigentlichen amerikanischen Traums. Und Timothy O'Leary war nicht der einzige Prophet, der dazu aufrief, das alte Bewußtsein mit Drogen zu re(de-)formieren.

Auch dem kritischen Reflex auf die Fetische des totalen Marktes (Beispiel: Warhols Suppendosen und Marilyn Monroes) wohnt affirmative Kraft inne. Das gilt, begünstigt von der unendlichen Reproduzierbarkeit der Produkte, vor allem für die personifizierten Mythen, gleichgültig, ob es sich dabei um Comic-Figuren wie Batman oder um legendäre Filmstars handelt. All diese verklärten Marktbeleuchter sind ja selbst Markt.

Brinkmann nahm solche Impulse auf und schreckte gelegentlich auch nicht davor zurück, amerikanische Mythenrollen deutsch zu besetzen, z. B. Anny Ondra oder Eva Braun einzupacken in jene halbseidenen Gewänder.

Brinkmann hat wahrscheinlich, sehr zu Unrecht, seiner eigenen Oberflächenpoesie, in der die Beschaffenheit von Dingen, Menschen und Beziehungen evident wurde wie in keiner anderen, mißtraut, und deshalb, um den vermeintlichen Mangel auszugleichen, amerikanische Fetische übernommen. Sie gehörten eben zu seinem Amerika, seiner Utopie von Kreativität, von anderem Lebensausdruck, anderem Verhalten, anderen Bedingungen.

Wenn die Gedichte trotz solcher Belastungen zu den wichtigsten der letzten zwanzig Jahre gehören, dann deshalb, weil sie unter Verzicht auf alle kanonisierten Errungenschaften der Poesie, ja, gegen den Widerstand dieser Errungenschaften, erarbeitet wurden, weil sie buchstäblich aufgeräumt haben mit der Schönschreiberei, vor allem aber, weil sie in einer seltenen Selbstverständlichkeit einfach da sind, unfeierlich, ungeweiht, und weil sie dem Horror des Banalen eine ungeheure Wahrnehmungsschärfe entgegengesetzt haben.

## V.

Der spontane Ausdruck im Gedicht ist nicht einfach das Ergebnis der Spontaneität des Autors. Er muß erarbeitet werden mit oft gegensätzlichen Anstrengungen: mit Geduld und anhaltendem Mißtrauen gegen jeden sprachlichen Automatismus. Brinkmann war kein Surrealist.

Wenn er auch fast durchweg verzichtete auf den Reflex des sogenannten Politischen oder Gesellschaftlichen (auch diese Fremdbedingungen wollte er nicht), so drücken die Gedichte doch viel von dem aus, was die gesellschaftlichen Triebkräfte und Interessen in der Bundesrepublik aufgebaut und angerichtet haben. Seine Haltung war dazu nicht kritisch oder polemisch, seine Haltung war Haß und Ekel, durchaus in destruktiver Absicht.

Wenn andere Autoren zur poetischen Polemik nur fähig waren durch Reibungserlebnisse mit der Macht, ihren Institutionen und Verlautbarungen, ihren Gesetzen und Gesetzesresultaten, so hielt Brinkmann sich von Anfang an an die Gegenstände, man könnte auch sagen: an die Vergegenständlichungen von Gedanken, Interessen, Wünschen und Ideen. Er fand sie gruppiert oder gruppierte sie selbst zu Stilleben der Bewegungslosigkeit, der Strangulation, des Stillstands, einer ausstrahlenden allgemeinen Verödung. Die Gegenstände selbst sind die Zeichen endgültiger Bedeutungslosigkeit (die Gedichte darüber sind der prinzipielle Widerspruch; sie verfallen diesem Zustand nicht). Das menschliche Verhalten ist bloß noch atavistischer Reflex («und dann ohne viel Interesse kriegt sie eins in die Fresse»), die Sexualität trostloser Endsieg von Fleisch, Haaren, Haut und Kunstfaserwäsche. Eine triste Menschenlandschaft breitet sich da aus, abgestanden in Tradition wie in Traditionslosigkeit, aussichtslos, erstickend an der leichenhaften Starre der Gegenwart, an der heuchlerischen Libertinage des Geistes- und Kulturlebens und ihrer Endprodukte. Das ist ohne Umschweif gesagt, die Bundesrepublik in fortschreitender Restauration, ihre freudlose und leidenschaftslose Selbstpreisgabe an alle möglichen Lebenstarife, sprachlos.

Brinkmann machte mit diesen Zuständen keine Kompromisse. Er war überzeugt davon, selbst diesem Zustand nur entrinnen zu können durch mehr Bewußtsein. Und zu Bewußtsein kommt einer durch Hinsehen, ohne die Angebote an Filtern und Bestätigungen und abstumpfender Gemeinschaftlichkeit zu berücksichtigen. Erfahrungen, Erkenntnisse mußten für ihn schmerzhaft sein, unmittelbar das eigene Leben, Nervensystem und Stoffwechsel betreffen, sonst waren sie ihm nichts wert. Er wußte, daß er davon viele, theoretisch, überzeugen konnte, aber deren kümmerliche praktische Versuche lehnte er dann schroff ab. Kaum jemand konnte diesen Härtetest bestehen. Er lehnte ihn ab. Für sich selbst kam er ziemlich weit auf diesem Wege, aber genügen konnte er auch den eigenen Ansprüchen nicht. Ausbrüche von Selbsthaß waren bei ihm auch nicht selten, obwohl er doch die Not sogar suchte, die materielle Not aushielt, Wüstennot, geistige Überanstrengung, Verweigerung gegenüber dem Literaturmarkt viele Jahre lang. Askese geradezu; die Deformationen nahm er in Kauf. Ich glaube, er hatte keine andere Wahl, obwohl er es auf jede andere Weise auch leichter hätte haben können. Er konnte es sich nicht leichter machen wollen. Anderen auch nicht. «Unbequem sein» in eigener Bequemlichkeit, das haßte er wie die Pest.

# Die Poesie der wirklichen Dinge
## Über Günter Eichs ‹*Maulwürfe*›

Der einundsechzigjährige Autor Günter Eich ist in den rund zwanzig Jahren nach dem Krieg mehrfach etikettiert worden. Als «Kahlschlag-Lyriker» von außerordentlichen Graden, als Meister sprachlicher Reduktion, der die Bestandsaufnahme der Dinge und der Wörter am konsequentesten betrieb. Dann, welch eine Irritation, als der Autor, der mithalf, unsere Zeit und Existenz zu metaphorisieren, in seinen Hörspielen. Das mag unterschiedlich beurteilt werden, aber ohne ihn wäre das deutsche Hörspiel nach dem Krieg wahrscheinlich eine außerliterarische Sache geblieben.

Nun winkt oder droht ihm ein neues Etikett: der lyrische Äquilibrist in Kurzprosa.

Natürlich ist nichts von alledem falsch, aber Eich hat sicher solche schnellen Fixierungen fürchten gelernt. Nun sägt er selber an den Ästen, auf denen er lange Zeit nicht unbequem gesessen hat. Sein früheres Pathos («Seid nicht Öl, seid Sand im Getriebe der Welt») ist nicht mehr da, dafür die ironische Paraphrase («Und deinen Maulwürfen entgehst du nicht»), die Untertreibung, der feine Sarkasmus. Poetische Überhöhungen zielen nicht mehr auf ein transzendentales Geheimnis, sondern erweitern einen Reflexionsraum, der voll ist von wirklichen Dingen.

«Was ich schreibe, sind Maulwürfe», schreibt Eich, «von vielen Feinden gern als Delikatesse genossen.» Diese Kostgänger sollen sich künftig keine Illusionen mehr machen, denn «Maulwürfe sind schädlich».

Auf einen Monomanen deutet Eichs bisheriges Werk nicht hin. Seine Stoffe und Stilarten sind uneinheitlich.

Man erkennt ihn, aber man erkennt ihn nicht unbedingt wieder. Ich finde, das spricht nicht gegen ihn. Als Monomanen deklarierte Autoren, deren Arbeiten sich in einer Klammer, unter einem Stichwort (z. B. das Identitätsproblem) versammeln lassen, interessieren mich weniger.

‹Maulwürfe› ist sicher nicht das erste Buch eines Alterswerks, obwohl Eich viele Altersattitüden durchspielt, hinterlistig damit kokettiert. Ironisch gewährt er dem Leser Einblick in Manuskripte und Arbeitsutensilien, so, als handle es sich bereits um seinen Nachlaß: «Auf dem Löschblatt sind noch Briefe zu lesen, Scheckunterschriften, Liebe, Gedichtzeilen ...» Eichs Art zu meditieren, zu blödeln und kalauern ist aufreizend. Mit Absicht hat er solche Pointen nicht gestrichen, die eindeutig und weit unter seinem Niveau bleiben. Er hat die Nerven, einmal das Gefälle seiner Tagesform zu demonstrieren. Aber Mißverständnisse liegen nahe. Wenn eine Geschichte in einen seichten Aphorismus mündet, dann ist deshalb die betreffende Passage noch lange nicht seicht. Auch wenn Eich Zitate kaum kenntlich macht und sich niemals grob distanziert.

Die ‹Maulwürfe› sind gegen den Strich geschrieben, gegen Besonnenheit, gegen die Weisheit des lächelnden Lebens, gegen das festgeformte Selbstverständnis, gegen die Illusion der Sicherheit und auch gegen den, der da schreibt. Eich verunsichert scheinbare Selbstverständlichkeiten und zerstört immer wieder die Übereinkunft mit dem Leser. Bei Eich darf gelacht werden, aber manchmal strapaziert er den Witz derart, daß zum Lachen nichts übrigbleibt. Er gibt sich als Parteigänger der Anarchie zu erkennen. Die Maulwürfe, Metamorphosen seiner Geschichten, sind Totemtiere. Daß sie gelesen werden können, macht sie subversiv.

Eichs Perspektive ist eine verkleinernde. Sie verkleinert die Dinge, ihre Beziehungen, ihre Bedeutungen, überträgt sie in einen Zusammenhang geringerer Proportionen. Statt vergrößernder Leidenschaft benutzt er durchweg Understatement, statt lautstarker Originalität die banalisierende Geste. Die pantomimenhafte Komik kommt aus der Kürze und Beiläufigkeit der Formulierung. Der Witz ist kurzangebunden, hängt ein wenig nach, im Nebensatz: «Sie ist gutmütig, spricht aber nur mangelhaft deutsch. Andere Sprachen kennt sie nicht, es ist angeboren. Ihr Sohn spricht noch einige Brocken tibetisch, vielleicht vom Vater her. Seine Haare sind rot mit schwarzen Strähnen, von Vererbungslehre verstehe ich nichts.»

Eines der schönsten Stücke ist die «Huldigung an Bakunin». Sie beginnt mit der satirischen Beschreibung eines romantischen Rituals am Grabe des Revolutionärs: «Wir sind zu fünft unauffällig rasiert und versammelt. Der Wiedererwerb der Grabstelle ist gelungen, das feiern wir mit einer kleinen, frauenlosen Andacht. Nachdem durchreisende Revolutionäre sich angewöhnt haben, leere Patronenhülsen als Gruß niederzulegen, auch verrostete Dolche fand man im Efeu, versuchen wir jetzt, die Fremdenverkehrswerbung zu unterwandern, planen eigene anarchistische Reiseprospekte.»

Das ist, wie gesagt, Satire, wirft aber gar kein ungünstiges Licht auf den heutigen Aktionismus der Nachgeborenen. Andrerseits beklagt Eich die ignoranten Lebzeiten Bakunins, und hier ist von Satire keine Spur mehr. Er schließt mit dem resignierenden Wunsch: «Hoffentlich hat er dort (in Locarno) wenigstens ein paar schöne Tage gehabt, die ihm den Bart gewärmt haben.»

Eichs ‹Maulwürfe› werden keinen Leser gleichgültig lassen. Er wird bei der Lektüre noch Grund haben, sich zu ärgern, über ungebrochene Lyrismen, über mediterrane Anspielungen, Mythen, Metaphern, vielleicht über die unnötige Sorge des Autors, nur ja als Zeitgenosse erkannt zu werden («Mekongdelta vom Parkett aus»; «Löschpapier, aber ohne LSD»). Vor allem aber wird er ein überraschendes Buch lesen, überrascht sein von jedem dieser dreiundfünfzig Prosastücke. Eich stellt sich nicht als sein eigenes Denkmal vor. Er ist von dem Sockel herabgestiegen, auf dem seine Freunde ihn pflegen und seine Feinde ihn vergessen wollten.

# Vita nova mea
## Zu Karl Mickel

Während im westlichen Deutschland zehn Jahre nach dem Krieg lyrische Geheimbündelei ihr Wesen mit der Sprache trieb, verrannten sich im östlichen Deutschland notgedrungen junge Brechtepigonen auf dialektischen und didaktischen Holzwegen. Hier wurden Günter Eichs Inventur-Gedichte zu wenig beachtet; drüben schien die Brechthörigkeit unüberwindbar, erst recht, als die Alternative von «oben» verordnet war: literarische Würdigung der Errungenschaften des Sozialismus. Die Folge war eine lange Periode der Stagnation. Hier entstand Kunstlyrik, die Metaphorik des Disparaten, drüben Funktionslyrik, Parolen zur Plan- und Sollerfüllung. Hier touristische Variationen im Nachholbedürfnis, dort Hymnen auf die glorreiche Sowjetunion. Hier zerebrales Gehäkel, dort Abrechnung mit dem Faschismus. Hier subjektive, sich selbst genügende Sprachgebärden, dort das hohle Pathos des Fortschritts. Hier die Chimären des Gottfried Benn, dort die humorlos-tumbe Diktion des Johannes R. Becher.

Das selbstverständliche und gemeinsame Erbe der neuen Generation ist die deutsche Teilung. Also kann von einem gemeinsamen Nenner keine Rede sein. Volker Braun ist nicht mit Enzensberger zu vergleichen und Karl Mickel nicht mit Rühmkorf. Braun und Mickel haben mit deren kosmopolitischem Sozialismus nichts zu schaffen. Sie sind Bürger der DDR, und ihre Kritik an Zuständen in der DDR ist eine immanente. Sie geht uns weniger an, als wir wahrhaben möchten. Ihre Gedichte erscheinen zuerst in ihrem halben Land, dann, wie jetzt der Band ‹Vita nova mea› von Karl Mickel, in unserem halben Land. Mickels Gedichte sind weniger als die von Braun auf spezifische DDR-Probleme bezogen. Seine Themen sind weniger progressiv als eigensinnig, eigensinnig wie das Thema Liebe oder das Thema Freundschaft.

Der Band hält mehr, als der Klappentext verspricht. In vielen Gedichten ist die altertümelnde Metrik nur eine Finte, die den verfremdenden Reiz erhöht, wenn Mickel darin mythische oder biblische Anspielungen mit jugendlichem Jargon verbindet: «Kannst du nicht eine Stunde mit mir wachen! / Das kann ich leiden: mir den Rücken zudrehn.» Oder wenn er die Banalität einer Liebesäußerung satirisch nimmt: «Und ich (ich Arsch!) stell ihre Lieb in Frage. / Was wollte sie? ‹Mit dir normale Tage›.» Oder an anderer Stelle eine Verschiebung der Konvention: «Sie sagte nichts, als ich ihr offen sagte: / Es hängt von mir ab, wann ich wieder geh.»

Mickel ist es überraschend gelungen, antiquierte metrische Formen mit neuen Formulierungen und Reimen zu beleben. Aber manchmal klebt er auch an ihnen und die selbstauferlegte «Unfreiheit» wird zum Zwang; die Inhalte reichen dann nicht aus, blasse oder angestrengte Reime zu verkraften: «Der Regen wärmte, als wir raschen Schrittes / Uns suchten einen Ort, daß dies gescheh. / Da sagte sie: Nur dieses und kein Drittes / Bis morgen, oder bis zum ersten Schnee.»

Sozialistisch-realistische Einflüsse sind bei Mickel erkennbar. So in dem Gedicht «Kosmonaut 6», das, wie noch zehn andere, an Frauen adressiert ist. Mickel benutzt darin (ich bin sicher: bewußt) die karge Form der Traktoristenlyrik. Lakonisch teilt er mit, was über diese Person mitzuteilen ist, daß sie ihre Kabine aufräumt, wie sie ihr Zimmer aufräumt, allen Männern guten Tag sagt, daß sie die Erde verlassen hat, um den Raum zu durchforschen. Dann nimmt Mickel in den Schlußzeilen das alles auf die leichte Schulter; der Hymnus auf die Kosmonautin wird zu einem belustigten Kniefall: «Sie möchte kein Mann sein / Obwohl sie kein Mann ist.»

Mickel ist nicht einer, der mit dem Unausgesprochenen Verdienste einheimst. Bei ihm steht nichts zwischen den Zeilen. Auch hält er die Chiffre nicht für seine Stärke. Doch den griechischen Mythen, bei anderen jungen Gedichtschreibern zu einem Tabu geworden, geht er nicht aus dem Wege. Dabei vermeidet er die übliche Transposition: Odysseus trägt keinen grauen Flanell. Mickel schafft Distanz allein durch Sprache. Er setzt um in Jargon und endspielhafte Reflexionen, die keinerlei modischen Beiklang haben. Odysseus ist ein modernes Ich, aber gleichzeitig ist das moderne Ich auch wieder der archaische Odysseus. Es kommt zu einem Vexierspiel mit der Zeit. Die Inhalte werden aufgebrochen, vermischt, die Vermischung wird bestätigt, die Bestätigung zurückgenommen. Ob Odysseus seine Reputation noch zweifelnd aufrechterhält («Ich bin ein Gott vermutlich») oder rigoros verneint – das Ende wird sichtbar: «Ich will kein Gott sein, hinter mir zerfällt / Die sich selber fallen läßt, die Welt.» Den Schluß bildet – welch ein Verstoß gegen die zeitgenössische Verabredung – eine Metapher: «Und ich geh / Mit wenig Freunden, auf der öden See / Wo keiner war, errichten ein Gefährt: / Ein schwankend flüchtig sicheres, die Erd. / Die Welt ein Schiff! voraus ein Meer des Lichts / Und hebt der Bug, so blicken wir ins Nichts.»

Wenn diesem Gedicht auch einige klassizistische «Schönheiten» anhaften, so ist es doch eine faszinierende Gegenüberstellung alter und neuer Mythen. Es muß nicht wegweisend sein für andere Gedichtschreiber, aber es verspricht die Erneuerung versepischer Formen. Mickel bringt es fertig, diese auf einen leeren Mechanismus heruntergekommene Syntax neu aufzuladen: «Dreihundert Stück! Penelope, entweder / Mit jedem macht sie's, keinen will sie dauernd / Dreihundert Mann ersetz nicht einmal ich ...!»

Aber in diesem Band gibt es auch freie Formen. So die rhythmische Verkürzung eines Vietnam-Berichts. Mickel sucht darin nicht mittels eigener Diktion die billige Identität mit den Opfern. Ausdrücklich hat er sich beschränkt auf formale Bearbeitung. Ähnlich verfährt er in einem anderen Beispiel. Die «Ansprache des Arbeiters D an einen neuen alten Kollegen» hat er in einem VEB gehört und ebenfalls rhythmisch verkürzt wiedergegeben. Sie ist offenbar an einen zurückgekehrten «Republikflüchtling» gerichtet: «Ich schlachte dir kein Kalb. / Hier ist dein Platz. / Wo die Putzlappen liegen / Weißt du.»

In einigen Gedichten erkennt der Leser den starken Ausdruck literarischer Ahnen, wenn nicht den Brechts, dann den Majakowskis:

*«Zuerst werden wir uns blütenweiße Hemden kaufen*
*Dann lassen wir uns drei Tage lang vollaufen*
*Wenn wir wieder nüchtern und kalt abgeduscht sind*
*Machen wir unseren Frauen jeder ein Kind*
*Dann starrn wir rauchend den sternvollen Himmel an.*
*Morgens dann, viertel nach vier, geht der run*
*Auf Schneidbrenner los, die begehrten Artikel*
*Einen davon nimmt Mickel.*
*Dann verteilen wir uns über Luft, Land und Meer*
*Und machen uns über das Kriegsgerät her*
*Und alles hackt und schneidet, zerrt, reißt, schweißt*
*Spuckt an, pißt dran, sitzt oben drauf und scheißt*
*Und schmeißt mit Steinen, sprengt mit Sprengstoff weg:*
*Das ist des Sprengstoffs höchsterrungener Zweck! ...»*

Das Gedicht, aus dem diese Passage entnommen ist, heißt ‹Die Friedensfeier›. Es beschreibt in seiner utopischen Dimension die tatkräftige Abrüstung. Wer dabei mitmachen möchte, den wird die formale Abhängigkeit von Majakowski nicht stören. Und wer sich gern an einen der großen Alten erinnern läßt, der liest auch so etwas gern von einem wie Mickel.

# Schöne Bilder von Zukunft
## Über den Gedichtband
### ‹Gegen die symmetrische Welt›
#### von Volker Braun

Volker Brauns frühere Gedichte (etwa ‹Provokation für mich›) waren außer von Hölderlin auch von Majakowski beeinflußt, in den oratorischen Wechseln wie auch in dem Anspruch, die junge DDR-Geschichte nicht als lyrischer Kommentator zu begleiten sondern, wie eben Majakowski, der nicht über sondern für die Revolution schreiben wollte, als Mithandelnder.

Viel davon hat sich bis in die heutigen Gedichte erhalten, viel Antithese, Affront und listiges Fragen. Nur das selbstsichere Pathos steckt in diesen Gedichten nicht mehr. Es ist mit den Jahren des Aufbruchs, der Landgewinnung und des Einlebens im Kombinat und Kollektiv dahin, wie bei uns einige Abwehrhaltungen gegen Restauration dahin sind. Dieses Pathos, das wie Siebenmeilenstiefel über kleinliche Erwägungen und Zweifel hinwegging, ist Differenzierungen gewichen, einem Blick für Ambivalenz, an dem allerdings nicht Resignation klebt oder Anpassung.

Der Titel ‹Gegen die symmetrische Welt› ist programmatisch, und seine Verbindlichkeit geht ohne weiteres über Staatsgrenzen hinweg. Symmetrie im Sinne effizienter Menschenverwaltung wird überall angestrebt. Die ist auch leicht übersetzbar in «fortschreitende Entfremdung», in Realitätsverlust, schließlich: eine wohlgeordnete programmierte Ereignislosigkeit.

Volker Braun läßt sich auch ein bißchen kosmopolitische Dekadenz durchgehen, die die Bedeutung eines spezifischen Fortschrittsbegriffs und allzu fixierte Wertkategorien auf ein wahreres Maß zurückholt. In diesem Sinne sind seine Gedichte strategisch, ungefährlich nur in dem

Maß, in dem ihre Gefährlichkeit unerkannt bleibt – fast nur eine Frage nach der Auflagenhöhe. Sie sind, was sie de facto leider nicht sein können: die Wiedereinführung des Zweifels im Sozialismus.

Trotz aller Unterschiede ist es nicht so erstaunlich, daß heute in beiden Staatsgesellschaften ähnliche Gratwanderungen unternommen werden zwischen Zuversicht, sogar dosierter Affirmation einerseits und Skepsis und krimineller Phantasie andererseits. Auf dem Umweg über das früher angestrebte «wir», das ein elitär gestimmtes «ich» ersetzen sollte, hat Volker Braun Subjektivität gewonnen, ein neues Ich.

Historisches Bewußtsein ist nicht mehr Abklatsch einer offiziellen Geschichtsdoktrin, sondern kreatürliche Erinnerung, Ballung vieler vergangener und zukünftiger Möglichkeiten: «Ich, gemodelt aus vieler Geschlechter Stoff / Die ich in mir spüre, einer gemischten / Gesellschaft Fortsatz». Aber ziellos geht deshalb die Geschichte nicht, wenn auch Brauns Phantasie mit der Uhr spielt, die zwangsläufige Chronologie aufhebt. Gegen diese zwangsläufige Chronologie setzt er Ansprüche, die – es ist schwierig für dieses Wort ein besseres zu finden – utopisch sind.


### Entscheidende Entdeckung

An diesem Morgen ist die Straße
Voll halbgeöffneter Lider
Ein Getümmel von Brüsten in den Kaufhallen
Ein Wogen von Achselhöhlen.
Rolltreppen, von Gefühlen überladen.
An jeder Kreuzung öffnen sich
Meine Glieder in vier Richtungen
Des Lebens, jede leuchtend und einfach.
Die Menschen blühn auf einmal aus sich
Wie ein Feld von Mohn, wie ein Feld
Von zarten Gedanken, die sich einander zudrehn

Und einander entfalten. Und mein Kopf
Liegt noch immer
Im beharrlichen Gras deines Schoßes.

Überall in den Gemetzeln, in den «Hoffnungen aller ver-
geudeten Zeiten» suchen Menschen, Städte, Länder,
sucht die Geschichte erst nach «der Form des Lebens».
Schön sind in diesen Gedichten die aufzuckenden, noch
nicht konturierten Bilder von Zukunft, wie vom Blitz-
licht herausgeschält; sie sind, obwohl noch Sprache,
schon wahr und wirklich.
In dem Gedicht ‹Allgemeine Erwartung› heißt es, daß
«die Maschine läuft», Stromverbrauch und Krankenstand
gesenkt werden, «das Volkseigentum gemehrt» – «das
kann nicht alles sein». Und Aufbau – was ist das, wenn
aufgebaut worden ist? «Alles, klagt er / Steht! keine Rui-
nen, nix Trümmer / Schade, schade. Man hätte etwas /
Erhalten sollen!» So drückt sich nicht falsche Sehnsucht
aus, sondern der Wunsch, das Aufgebaute solle wahrer
sein, indem es das Nichtaufgebaute sichtbar mitein-
schließt.
Strategische Poesie – dieses Etikett ist bei aller Fragwür-
digkeit keine Übertreibung, wenn man an die übertrie-
bene Bedeutung denkt, die der Literatur in sozialisti-
schen Ländern beigemessen wird. Es ist zwar kaum so,
daß ein Autor in staatliche Entscheidungen eingreifen
kann, aber der Staat traut es ihm paradoxerweise zu.
Und deshalb wohl nimmt er oft Ärgernis – zu hoch an-
gesetzte Angst.
«Was soll ich noch / Hinnehmen als ruhmreiche Strategie: / Oder erklärbare Taktik: / Oder als Witz?» Gemeint
ist das realpolitische Techtelmechtel der DDR mit Spa-
niens Franco, dessen Gesicht auch im *Neuen Deutschland* durch Abdruck geehrt wurde.
Volker Braun fürchtet mit Recht die symmetrische
Welt in seiner Gesellschaft, und er legt, wenn nötig, auch
sein Eigengewicht auf die Goldwaage, die «oben» für

Wörter bereitsteht. Die Schönheit seiner Gedichte ist eine schwierige Schönheit, sperrig gegen zu leichten Konsum. In ihrer Form steckt ein guter Widerspruch zu den Inhalten, aber auch ein Anspruch der Form auf bessere Inhalte, der Anspruch der Fiktionen an die Fakten.

# Blaue Flecken
## Zu Jürgen Theobaldy

Jürgen Theobaldy ist 1944 geboren. Er hat, wie viele andere dieser Generation, bestimmte Erfahrungen gemacht. Die Bandbreite könnte man schnoddrig mit dem Alphabet messen: von Apo bis Vietnam. Oder bis Warhol. Es waren nicht nur direkte Erfahrungen. Vietnam ist zum Beispiel von vielen als ein traumatischer Komplex erfahren worden wie etwa in den fünfziger Jahren Auschwitz. Aus Apo-Zeiten ist so etwas wie eine antiautoritäre Grundhaltung übriggeblieben, oft verbiestert und ideologiekritisch erstarrt. Ein neuer, vulgärmarxistischer, Dogmatismus, auch im gesamten kulturellen Bereich, führt zu Haltungsschäden, deren einzige Qualität es ist, daß es nicht mehr die alten Haltungsschäden sind. Da fehlt es an klärenden Worten, Bildern und Taten.

In der so notdürftig beschriebenen Situation schreibt Jürgen Theobaldy Gedichte. Natürlich kennt er den hermetischen Charakter dieser Tätigkeit. Gedichte sind berücksichtigt als unverständliche elitäre Chiffren, als gekünsteltes Sprechen, Onanie, inneres Schauturnen. Theobaldy hat daraus nicht den krummen Schluß gezogen, man müsse eine der Bildungsmisere adäquate Poesie schreiben, also vielleicht AGITPROP, blaß im Gedanken, trocken im Wort, eine Freund-Feind-Poesie oder eine Jeder-Schuß-ein-Treffer-Poesie. Ich weiß nicht mehr, wer die kluge Bemerkung gemacht hat, Poesieschreiben sei heute ein Vorschuß auf die Zukunft. Gedichte sind jedenfalls nicht Gebrauchsgegenstände geworden, wie ein paar Einpeitscher gefordert haben.

Theobaldy verwendet da, wo es ihm nötig erscheint, schwierige Parabelformen, disparate Vergleiche, Hyperbeln, Verfremdungen, die die Sinne des Lesers weit öffnen sollen. Insofern sind sie auch schwierig; insofern sind sie auch einfach. Sie sind weder Lektionen der Stille noch des Lärms. Sie objektivieren und systematisieren nichts. Sie sind vorsätzlich subjektiv, wunderbare, mit dem ganzen Körper gemachte, für den ganzen Körper verständliche Poesie. Thema ist das tägliche Leben, das allerdings neben den unzähligen Ärgernissen und Katastrophen auch voll ist von Wünschen, Vorstellungen und imaginären Aktionen. Wie gesagt, ohne Meister Agitproper und ohne fernes Grollen aus der Subkultur. Diese Poesie ist gegen das Totsein bei lebendigem Leib gerichtet, selbst Informationen werden wieder Erfahrung, herausgelöst nämlich aus dem dumpfen Allgemeinzustand, den wir fälschlich Dasein nennen. Theobaldy hat auch vor «Schönheit» keine Angst, so problematisch die auch ist, zumal, wenn sie mit gräßlichen Tatsachen gefüllt ist.


Das Bündel

Als die Beamten das Bündel öffnen
das sie, eingepackt in Zeitungspapier
und blutbefleckt, in einem Schließfach
am Bahnhof gefunden haben, machen sie
eine grausige Entdeckung: die Lebensgeschichte
einer jungen Frau aus der Arbeiterklasse.


Dies ist so ein authentischer Anlaß aus dem Leben, wie es sich oft auf den letzten Seiten der Tageszeitungen darstellt. Aus einem gewöhnlichen Schrecken ist ein ungewöhnlicher geworden, ein tickendes gefährliches Ding. Ich frage mich oft, warum so etwas Poesie werden kann. Ein Bild, das versetzt ist gegen die einfache Wahrnehmung und gegen die einfache Information. Der eigentliche Inhalt des Fundes ist in dem Gedicht wieder da, obwohl er von den Beamten sicher nicht beabsichtigt war.

Ich habe von Schönheit gesprochen, ohne sie definieren zu können. Vielleicht sollte ich lieber von der Ambivalenz der Poesie sprechen, davon, daß das ästhetische Medium Literatur selbst den schrecklichsten Inhalten noch formale Schönheit gibt, sozusagen gratis und obligatorisch. Der kurzschlüssige Vorwurf darauf lautet immer wieder: Ästhetisierung negativer Ereignisse. Dabei wird aber übersehen, daß diese Ambivalenz vorgegeben ist und nicht nur ein Merkmal der Literatur ist, sondern auch der Realität, in der gemeinhin der süße Friede sich immer noch auf dem sauren Krieg breitmacht. Jede Form, auch die Antiform, auch die zertrümmerte Form, hat ästhetische Merkmale. Und darin, meine ich, steckt auch der Anspruch auf andere, bessere Inhalte, durch die der Widerspruch gelöst werden könnte.

Theobaldy hat auch Liebesgedichte geschrieben. Es sind nicht Liebesgedichte «auf den ersten Blick». So wie es Liebe nicht als abstraktes pures Ereignis gibt, kommen auch Liebesgedichte kaum ohne tollkühne Aktionen aus, ohne ein bestimmtes Inventar, durch das ein Gefühl konkreten Ausdruck finden kann. Verfremdung ist dann nicht eine snobistische Marotte, sondern ein Mittel, durch das etwas gezeigt werden kann: in fremdem Zusammenhang oder fremder Formulierung. So muß Theobaldy nicht zum soundsovielsten Male Verhaltensklischees von Liebe variieren, in denen bestimmte Grimassen geschnitten, bestimmte Sprüche aufgesagt werden. Manchmal gelingt es ihm, daß alles zur Einheit wird, Leben und Liebe, Gedanke und Gefühl: «... Ich weiß nicht, was Angst um den Arbeitsplatz ist. Ich weiß, was Angst aus Liebe ist ... Da ist immer noch Sonne auf den Hängen und ist Liebe ein Luxus für schönere Zeiten? Dieses Gedicht kommt nicht am Ende, wenn der Zug ankommt. Es begleitet uns durch die Geschichte unsrer ungelösten Situationen und ständig hält es etwas zurück, das wir nicht erklären können. Zum Beispiel gibt es Menschen, die wir hassen und solche, die wir lieben. Den Haß auf jemanden wie Flick kann ich erklären; doch meine Liebe zu dir ist wie die Fahrt durch diesen Tunnel mit Frühling vorm Eingang und dunklen Wolken hinter dem Berg.»

Reste einer romantischen Perspektive benutzt Theobaldy als kontemplatives Spielmaterial. So kommt oft das Motiv der unmöglichen Liebe vor. Der Anspruch auf dauerhafte gute Zustände und Gefühle leuchtet auch in negativen Bildern auf als deren mögliches unmögliches Gegenteil. Träume und Wünsche werden nicht nur in ihrer Gestörtheit gezeigt, sondern stören ihrerseits auch die prinzipielle, auf sich selbst pochende Wirklichkeit. Imaginäre Nachbildungen von etwas historisch Geschehenem gestatten wünschbare Korrekturen. Filmdarsteller werden aus ihrer Szene «befreit»; tote Dichter machen noch einmal etwas anderes als das, wofür sie berühmt sind: Goethe tritt das Gaspedal. Rilke fühlt sich wie Eis am Stiel und denkt über die Münchner Räterepublik nach. Trakl «stapft am Waldrand entlang», «ein Bild aus *Viva Maria* im Kopf».

Theobaldy schleppt in leichten Nebensätzen die Widersprüche zwischen besseren Vorstellungen und schlechteren Verhältnissen mit. Die Verse, das zeigt er, sind Realität, aber sie ersetzen nicht irgendeine andere Form des Handelns, obwohl sie eine Form des Handelns sind. «... Dieses Gedicht ist praktisch nichts ...» oder «... während Residenzen und Ämter verfallen / und doch nicht zerschlagen werden.»

Amerikanische Einflüsse sind hörbar im slangstumpfen rhetorischen Schlenker, in der Spontaneität des Hinsprechens, auch darin, daß Theobaldy sich keinem Raster anvertraut, sondern die direkte sinnliche Formulierung sucht, die dann oft so überraschend kommt, daß man glaubt, den Gegenstand ganz neu zu sehen, zum erstenmal.

Es gibt Paraphrasen auf berühmte deutsche und amerikanische Gedichte. In manchen Gedichten hält Theobaldy eine riskante Balance zwischen neugefundener Naivität und radikaler Sentimentalität: «... Ich wäre es gern,

dieses Sommerkleid, das du anziehst ...» Aber gleich
darauf fällt eine Klappe, die, im kritischen Jargon gesprochen, zum männlichen Rollenverhalten gehört, ganz
leicht ironisch, kaum distanziert: «... daß ich wie ein
Mann sein soll: stark und hart im Nehmen.»
In diesen Gedichten sind nicht nur die Fußspuren von
Leslie Fiedlers «neuen Mutanten» zu finden, sondern
auch profanere Dinge wie «Stechuhren» und «harte Eier»
und sagenhaft natürliche wie »Abenddämmerungen». Es
ist mir noch nicht oft passiert, daß ich nur zitieren möchte, einzelne Verse und ganze Gedichte. Eins davon heißt
‹Möbliertes Zimmer›:

Alle Inserate in den Zeitungen
rufen dir zu: Hier gibt es ein Zimmer!
und als ich dort ankomme
ist es eine stillgelegte Badewanne
teuer wie die Raten für einen Sportwagen ...
Seit drei Wochen trage ich jeden Morgen
den heißen Morgenkaffee zu einem Vermieter
Ich bin um diese Zeit der freundlichste Mensch
                                             in der Stadt
Ich ziehe gebügelte Hosen an
lecke Speichel
lecke Schuhe Pantoffel
ich nehme Hosenknöpfe in den Mund
                          Eheringe und Lockenwickler
ich schlage mit der Faust auf die Anrichte: die Zimmer
                              werden kleiner und teurer
Ich treffe Verabredungen komme pünktlich
aber der Herr mußte einen Kaffee trinken gehen
Jemand bietet seine Schuhschachtel an
ich schlüpfe aus der Jacke
und versuche einzutreten: schon erhöht er die Miete
Ja ich habe verstanden
hier bin ich weniger wert als ein Zimmer
aber dorthin kriegt ihr mich nicht
wo ich für 200 Mark im Monat

mit Krallen und Zähnen eure separaten Teedosen
verteidige
gegen alle Angriffe auf das Privateigentum
wo ich schwöre
schmal und leise wie mein Schatten zu sein
wo ich um Verzeihung bitte
für meine Schuhe weil sie auf die Treppe treten
für meinen Anzug weil er nicht ohne mich geht
für die Luft die ich verbrauche
endlich für mich selbst
weil ich lebe
und nicht klar und kalt wie mein Bankkonto bin

Dem Überfluß an der Literatur dienen diese Gedichte nicht. Sie sind weit offen und faszinierend. Gedichte für Schüler, Lehrlinge, Studenten, Arbeiter, Angestellte, Beamte und für Selbständige und alle, die selbständig werden wollen.

# Wünsche, Lügen und Träume
## Über Kenneth Koch

Die Gedichte von Kenneth Koch sind kaum vergleichbar
mit denen seiner amerikanischen Zeitgenossen. Weder
gibt es augenfällige Verwandtschaft mit Beat-Lyrikern
wie Ginsberg und Corso noch mit denen der sogenannten New Yorker Gruppe wie Ashbery, O'Hara und Ber-
rigan.

Kenneth Koch ist unter allen amerikanischen Lyrikern
derjenige, der die meisten Einflüsse verarbeitet hat. Zu
seinen Vorfahren gehört zwar Walt Whitman, aber auch
Alfred Jarry. Ob man seine Schreibweise neosurreali-
stisch oder neodadaistisch nennt, grotesk oder absurd,
man behält immer ein wenig recht. Er spricht in vielen
Verstellungen und Verkleidungen, mit gespaltener Zunge. Trotzdem oder deswegen sind seine Gedichte amerikanisch, auch wenn europäische oder besser romanische
Merkmale zu entdecken sind – zum Beispiel die vokalrei-
che Musikalität spanischer und italienischer Lyrik.

Die Gedichte von Kenneth Koch sind monströs. Nicht
nur die willkürliche, scheinbar unkontrollierte Verarbei-
tung von eigentlich unvereinbaren Einflüssen bestätigt
das, sondern auch, daß er keine Anstrengung macht, diese Elemente zugunsten einer übergeordneten Homogeni-
tät zu integrieren. Er läßt die Gegensätze sich entfalten
und auswachsen und nimmt ihnen nicht ihre Eigenbewe-
gung. Dem entsprechen auch äußerliche formale Züge.
So gibt es direkte und indirekte Reden, Gespräche kommen vor, Betrachtungen, Beschreibungen, Erzählungen,
auch regelrechte und auch handgreifliche Szenen. In
Kenneth Kochs Gedichten kommt alles vor, was in Gedichten, den Lehrmeinungen nach, nicht vorkommen

darf. Gegen die offizielle poetische Rechtschreibung verstoßen sie prinzipiell. Wenn die Verhältnisse danach wären, könnte man Kenneth Kochs ‹Schöpfungen› (der Begriff trifft hier zu) als die einer neuen, von Verpflichtung befreiten Spieltätigkeit betrachten. Das Kalkül ist, wie in den Anfängen des Surrealismus, ausgeschaltet. Das bedeutet nicht, daß die vielen kleinen, sich anziehenden und abstoßenden Formen und Unformen nicht doch sehr geplant zu einer Einheit zusammenkommen, deren Charakteristikum eben die Widersprüchlichkeit ihrer Elemente ist.

Vielleicht ist es das Lustprinzip, dem Kenneth Kochs Phantasie in aller Spontaneität gehorcht, eine Phantasie, die infantil ist bzw. infantile Phantasie repetieren kann. Und voller Unart sind diese Gedichte dann auch, voller Gequassel, inflationistische Wortschwälle, die Übertreibungen erreichen Höhen, für die es keine Wörter mehr gibt. Einerseits werden Trivialitäten und Gemeinplätze auch ungebrochen verwendet, andererseits geht aber keine Zeile, ob Gedanke oder Bild, wie erwartet weiter. Sinnzusammenhänge überlappen einander alogisch oder heben einander völlig auf; Emotionen äußern sich schrill und kreischend. Kenneth Koch treibt seine Romantizismen oft bis zur Unerträglichkeit. Naturprodukte wie ‹frische Luft› oder ‹grünes Tal› macht er zu Fetischen wie die knallbunte amerikanische Warenwelt.

Weder sein bitterer noch sein süßer Humor kommen etwa aus der ironischen Distanz, sondern aus einem ebenfalls infantilen Anspruch an die Welt, daß sie nämlich schön zu sein hat – und so erscheinen bestimmte Dinge in der willkürlich naiven Optik nur noch komisch.

Aber äußerst selten gibt es in diesen Gedichten Bezüge zur aktuellen Realität. Die Erfahrungsmomente aus der Realität dienen allenfalls als Impulse, die Imaginationsschübe auslösen. Sonst ist alles auf Erfindungen angelegt, die sich mit den Realvorkommen nicht decken. Nach direkten zeit- und gesellschaftskritischen Ausfällen würde man bei Kenneth Koch vergeblich suchen. Warum sucht ‹man› überhaupt danach? Ist diese Erwartung bei uns inzwischen zu einem obligatorischen Anspruch geworden? Könnte ein Autor wie Kenneth Koch überhaupt solch einen Anspruch erfüllen mit seinem antirationalistischen Konzept? Ich nehme an, er *darf* ein solches Konzept haben, und ich nehme auch an, daß er sich bestimmte Pflichtübungen nicht auferlegen *muß*. Wenn es gestattet ist, seine Absicht knapp zu interpretieren, so muß ich sagen, daß für ihn Sprachregelung das Ende verbaler Kommunikation bedeutet und das *Ende der Vorstellung* im doppelten Sinn.

Bei uns könnten sich diese Gedichte den Vorwurf des Eskapismus einhandeln, denn Kenneth Koch macht keine Anstrengungen, sie in ein dialektisches Verhältnis zu realen Vorgängen zu bringen. Er beharrt im Gegenteil auf der Präsentation ganz anderer Bilder und Vorstellungen. Das mag hier für literaturgeschichtliche Erbsünde gehalten werden – ich frage dazu nur, ob nicht die Rezeption selbst dieses dialektische Verhältnis herstellt.

Ich habe Kenneth Koch, um ihn hier gegen Mißverständnisse zu schützen, mit dem Lustprinzip in Verbindung gebracht. Das ist kein Bluff. Seine Gedichte sind mit ‹Helden› bestückt, die im imaginären Universum unendlichen *Spielraum* genießen. Wie in der kindlichen Phantasie sind sie allmächtig und allgegenwärtig, Störenfriede für die kontrollierte Welt, Sprachverwirrer, Das-Wort-im-Munde-Verdreher.

# (Amerika)
## Über das parodistische Element
## im amerikanischen Gedicht

In Amerika ist der Nachahmungstrieb in vielerlei Gestalt hoch entwickelt. Dafür spricht ja allein schon die Gewißheit, daß irgendein Kerl aus den ersten Einwanderergruppen mit dem Schießen angefangen haben muß. Heute ist ganz Amerika auf einem parodistischen Trip. Jeder Amerikaner bis hinunter ins Weiße Haus parodiert mindestens einen anderen. Nach der klassischen Definition ist ein Hauptmerkmal der Parodie die Beibehaltung gewisser Elemente. Ein Film parodiert den anderen. Eine Ära ist die Parodie einer Epoche. Ein Dollar ist die Parodie einer warmen Mahlzeit. Wenn Nixon Roosevelt parodiert, so tut er das sehr eigenwillig, und wenn Norman Mailer Marilyn Monroe parodiert, so fällt das auf ihn zurück. Ein Pferdedieb ist ganz eindeutig die Parodie eines Autoknackers, so wie eine Aktie im Empire State Building die Parodie einer Arbeiterfaust ist. Man kann ohne weiteres die Behauptung aufstellen, daß es in Amerika nur noch Parodien gibt. Alles und jedes ist heute schon mehrfach parodiert. Das kommt der Wirtschaft zugute. Geringerer Verschleiß usw. Allerdings mehren sich die Anzeichen einer bedrohlichen Entwicklung. Es ist errechnet worden, daß eine Parodie nur soundsoviele Male (die genaue Zahl ist mir nicht bekannt) parodiert werden kann. Dann nämlich gibt es so etwas wie einen permutativen Rückspulvorgang, an dessen Ende sich die monströse Originalform aller Larven und sonstigen genetischen Hüllen entledigt haben wird. Wir stehen Aug in Aug dem Pioniermonster gegenüber, dem Gold- und Juwelenmonster. Soviel nur zur Tradition der Parodie in Amerika.

# Über Ron Padgett

Der Autor ist Amerikaner, und zwar einer von denen, die Brille tragen. Sein Buch ‹*Große Feuerbälle*› ist eins jener seltenen Bücher, deren Inhalt sich immerfort verändert, während man darin liest oder darüber spricht. Hier haben wir es mit Humor zu tun. Jedenfalls hat Ron Padgett nicht vor, die Welt in Realismus zu verwandeln. Er ist ein großer und begabter Freund seiner Freunde. Er lebt nicht ‹zusammen›, sondern ist verheiratet. Er lebt nicht in New York, sondern wohnt da, obwohl er auch lebt. Er ist Anhänger des groß und klein angelegten Plagiats, liebt also den geistigen Diebstahl nicht weniger als das geistige Eigentum. Besonders in der Cooperation mit Toten und lieber noch Lebenden kommt seine Phantasie auf Touren. Einer hat schlecht gelaunt das Wort von Amerikas ‹baby poets› aufgebracht. Das kann man gut gelaunt übernehmen. Ron Padgett ist einer von den ‹baby poets›, die es, wenn es ihn nicht gäbe, vermutlich gar nicht gäbe. Gottseidank gibt es sie, und diese Tatsache hat *vielleicht* mit Realismus zu tun. Seine Größe besteht eben auch darin, daß er kaum ein Gedicht oder eine Erzählung allein schreibt, obwohl er persönlich nur einer ist und daß er sich auch kaum über Kollegen lustig macht, die mit dem Finger an der Realität entlangfahren, wovon sie nicht mehr haben als ein bißchen mehr Geld und einen dreckigen Finger.

Ron Padgetts Humor ist sanft und zärtlich. Hier ist ein Beispiel, ein poetisch leicht überarbeiteter deutscher Evergreen:

## Tag im Herbst

Rilke geht auf einen Pfennig zu. Sah ich.
Das war wirklich großartig. Doch jetzt
Liegt sein Schatten fest auf den Sonnenuhren.
Wie kann der Wind dann
Die Schatten daran erinnern daß es Zeit ist?

«Wer kein Haus hat kann jetzt nicht bauen»,
Sagte Rilke zu einer Grille.

Kleine Grille,
Du mußt aufwachen, lesen, lange Briefe schreiben und
Ruhelos umherziehen wenn die Blätter treiben.


Ron Padgett hat viele Eigenschaften, die er alle in seinen
Arbeiten auszudrücken versucht. Unter anderem ist er
ein starker Selbstzweifler und Fernseher:


Ich weiß nicht
Vielleicht ist nicht viel los mit mir
Alles chaotisch
Persönlichkeit schwach
Alles Oberfläche keine innere Kraft
Lyrik taugt nichts
Dieses Gedicht taugt nichts
Vielleicht sterbe ich als alter Mann
Verfasser von Mist
Vergessener Federfuchser
Aber ich sag Ihnen das eine
Was ich wirklich liebe ist
Meinen Arsch in den Sessel zu drücken
Und hemmungslos fernzusehen

So etwas ist komisch bei Ron Padgett, aber es ist nicht nur komisch. Man ist erleichtert darüber, daß er sich nicht wichtiger nimmt als er ist. Natürlich ist er sehr wichtig. Er benutzt so manchen schlechten Gag. Die besseren Gags läßt er einfach aus, vielleicht aus Solidarität. Sein Humor geht auf niemandes Kosten, außer wenn es sich um einen wirklich miesen Vogel aus Kunst und Leben handelt. Außerdem schreibt Ron Padgett über den Kopf eines Farmers, über die Unendlichkeit, über den Hund, über Liebe und Tod und über den Berg Fudschi:

### Zwei Ansichten vom Fudschi

Regentropfen stören
kahle Hinterbacken
von Pudeln

Schnee auf Berg Fudschi

kahle Hinterbacken
von Pudeln

Schnee auf Berg Fudschi

## Über Charles Bukowski

Charles Bukowski ist über fünfzig und lebt in einer Vorstadt von Los Angeles. Sein Leben scheint ziemlich hitzig und kriminell zu sein. Hauptberuflich arbeitet er auf dem Postamt. Bukowski wurde einmal in Andernach am Rhein geboren. Das ist vielleicht interessant, was aus einem werden kann, der in Andernach geboren wird und im Alter von zwei Jahren umzieht nach Los Angeles. Ein solcher Zweijähriger wird später auf jeden Fall Gedichte schreiben. Er wird ein pockennarbiges oder auf andere Weise entstelltes Gesicht haben, ohne daß die Ähnlichkeit mit Humphrey Bogart ganz verlorengeht. Dieses Gesicht wird zusammen mit dem Suff und allen möglichen Ausschweifungen den Rohstoff für eine Dichterlegende abgeben.

Die Legende um Bukowski ist erst vor ein paar Jahren auf die Beine gekommen, als ein paar halbseidene akademische Literaturverwalter es profitabel fanden, ihn zu entdecken. Sie entdeckten ihn in einem riesigen Kehrichthaufen, betrunken natürlich, in unflätigstem Amerikanisch fluchend, die Bude voller leerer Bierbüchsen, die eine ebenso deutliche Sprache sprachen wie er selbst. So gut er kann, wehrt er sich gegen diese Legende und Legendenbildner. Er will kein «wildgewordener Hemingway» sein.

Auch in seinem alten «Vaterland» ist er wieder unter die Leute gekommen, einmal in Form eines Fischer-Taschenbuchs. Sein Titel ‹Notes of a dirty old man› wurde da auf deutsch verfeinert: ‹Aufzeichnungen eines Außenseiters›. Außerdem ist bei Kiepenheuer & Witsch sein autobiografischer Roman ‹Der Mann mit der Ledertasche› erschienen.

Ich könnte noch ein paar Fakten aus seinem Leben hinzufügen, daß er bei Pferdewetten sein Geld zu verlieren pflegt und gelegentlich in Schlägereien gerät und Selbstmord versucht, aber so etwas macht die Legende noch haltbarer.

Er bezeichnet sich selbst als einen alten Drecksack und beschreibt seine Beziehungen zu einer Welt, die nicht weniger dreckig ist, und das macht er ohne rhetorische Schnörkel, einfach so in die Maschine hinein wie's kommt. Allerdings, so kunstlos und ambitionslos, wie manche seiner Bewunderer annehmen, sind diese Gedichte nicht. Der Ton ist heiser, voller Schreie und Dissonanzen. In dem Band ‹Gedichte die einer schrieb bevor er im 8. Stockwerk aus dem Fenster sprang› stehen, obwohl übersetzt, einige der besten Gedichte, die ich in den

letzten Jahren gelesen habe. Daran ändert auch Gottseidank die Tatsache nichts, daß Bukowski die Pose keineswegs verachtet. Seine Pose ist eben, daß ihm auf seine
wütende Art alles scheißegal ist. Daher vielleicht auch der
etwas inflationäre Gebrauch der kurzen amerikanischen
Wörter *shit* und *fuck*, die große Geste der Weltverach-
tung, die nicht zufällig von Henry Miller und Jean Genet
bewundert wird.

Das alles hindert mich nicht, Bukowskis Gedichte gut zu
finden und weiterzuempfehlen. Hier ist ein ganz kleines,
eine Momentaufnahme, eine ganz kleine wichtige Erfahrung:

### Ein Genie

Heute hab ich im Zug einen
genialen Jungen
kennengelernt.
Er war ungefähr 6 Jahre alt,
saß direkt neben mir,
und als der Zug an der Küste
entlangfuhr
sah man das Meer
und wir schauten beide aus dem
Fenster
und sahen das Meer an
und dann drehte er sich
zu mir um
und sagte,
«Das is nich schön.»

Da ging mir das zum
ersten Mal
auf.

# Ich soll den Glasberg besteigen
## Über Donald Barthelme

In der Bibliothek Suhrkamp ist als Band 311 eine Sammlung von Erzählungen erschienen, die den Titel ‹City
Life› trägt. Autor ist der Amerikaner Donald Barthelme.
Jede der darin enthaltenen vierzehn Geschichten ist anders, anders als jede andere in dem Buch und anders als
jede andere außerhalb des Buches. Barthelme ist weder
ausgeglichen noch gleichmäßig. Und man spürt, daß er
nicht nur seine eigenen Erfahrungen mit der Welt gemacht hat, sondern auch die vieler anderer.
Donald Barthelme ist 42 Jahre alt, aber noch immer ein
Schreiber von Geschichten, kein Romanautor, obwohl er
so etwas wie einen Roman auch schon geschrieben hat.
Dieses Buch ist bei uns unter dem Titel ‹Schneewittchen›
erschienen. Es ist deshalb nicht unbedingt ein Roman,
weil Barthelme quer durch die Gattungen schreibt, weil
er sich für Gattungen nicht mehr interessiert. Es ist wahr,
viele Autoren sagen das, aber an Barthelmes Geschichten
läßt es sich nachweisen.
Barthelme ist kein sogenannter Realist. Er ist einer von
den wenigen Nicht-Realisten. Allerdings ist schon ein
Realismus-Begriff vorstellbar, in den auch Barthelme hin-
einpassen würde, aber der müßte so offen sein für alles,
was durch den Kopf und durch alle anderen Körperteile
geht, daß er gar nicht mehr definiert zu werden brauchte.
Wenn ein realistischer Autor den Faden verliert, fängt er
an zu lügen; wenn ein phantastischer Autor den Faden
verliert, fängt er vielleicht an, realistisch zu schreiben.
Solche Sätze wie: Der Wagen näherte sich mit abgeblen-
deten Scheinwerfern.

Barthelme ist einer von den Autoren, die der Phantasie selbstverständlich Bewegungsfreiheit lassen über unsere, im übertragenen Sinne, «kleinen Verhältnisse» hinaus, und die es ablehnen, sich festnageln zu lassen an den Boden der Tatsachen. Das bedeutet nicht, daß er rund um die Uhr seiner Phantasie vertraut und dafür die Realität nicht mehr wahrnimmt. Das bedeutet nur, daß er sie nicht mehr auf die gewohnte gewöhnliche Weise wahrnimmt. Seine Wahrnehmungen sind willkürlich verschoben und verzerrt, und entsprechend sind auch die Formulierungen oft verschoben und verzerrt, wenn man sie mißt an den Formulierungen, die vorgefertigt für jeden Gebrauchsfall zur Verfügung stehen. Genauer gesagt sind es aber weniger die einzelnen Sätze, die Barthelme von allen realistischen Wahrnehmungs- und Schreibweisen trennen, sondern ihre eigenartigen Verbindungen und verblüffenden Brechungen an Gegenständen und Fragen. Damit löst er fixierte Begriffe auf und gibt den Dingen und Erscheinungen jene Fremdheit zurück, durch die sie erst wieder erfahrbar werden. Wir haben alle selber schon die Erfahrung gemacht, daß uns Dinge, die wir täglich sehen, erst dann auffallen, wenn sie verändert wurden oder plötzlich nicht mehr da sind. Auffällig ist nur die Abweichung. Das Etikett ‹realistisch› ist oft nur eine Entschuldigung für konventionelles Sehen und Sprechen. In diesem Sinn sind realistische Sätze solche, in denen man angeblich die Realität wiedererkennt; in Wahrheit aber erkennt man nur die Sätze wieder.

So ähnlich gingen einige meiner Überlegungen beim Lesen der Barthelme-Geschichten. Ich merke, daß ich versucht habe, Voraussetzungen herauszulesen, etwas Programm. Diese Überlegungen sind sicher nicht falsch, aber ich bin dadurch nicht darauf gekommen, warum ich diese Geschichten so intensiv erlebt habe, als ich glaubte, sie nur zu lesen. Ich glaube jetzt, daß es ihre emotionale Kraft ist (manchmal auch das Gegenteil, eine Lethargie, deren Sog nicht weniger stark ist), die daher rührt, daß Bewegung sogar gegen den Leser da ist, eine permanente

Irritation, keine Erlösung am Satzende, keine Bestätigungs- und Identifikationseffekte. Die von Tatsachen abgeleiteten phantastischen Einfälle und Entwicklungen dienen Barthelme dazu, die Frage nach dem Sinn unserer Existenz auf ungeheuer schwierigen Umwegen zu stellen. Diese Frage auf gute alte realistische Art direkt zu stellen, ist nicht mehr wichtig und bringt auch kein Jota Erkenntnis ein.

Barthelme dehnt seine Suche nach Sinn gerade auf die sogenannte Transzendenz aus. Er geht sogar soweit, über Engel zu schreiben. Das ist eine mit enzyklopädischem und fiktivem Wissen angereicherte Abhandlung. Die Rechtfertigung, über so einen Gegenstand zu schreiben, liegt für Barthelme wohl darin, daß Engel auf irgendeine Weise noch immer in unserem Bewußtsein stecken, wie andere mythische Gestalten auch. Und Engel zu sein ist ja sicher eine Möglichkeit, mit der Menschen gern spielen. Barthelme sagt dazu:

«Kurios, daß, sobald man über Engel schreibt, man sehr oft dazu kommt, über Menschen zu schreiben ... So findet man schließlich heraus, daß, Lyons zum Beispiel, in Wirklichkeit nicht über Engel schreibt, sondern über Schizophrene. Er denkt an Menschen, führt aber Engel an, und dies gilt für vieles andere, was über den Gegenstand geschrieben wurde – ein Gesichtspunkt, der, so möchten wir annehmen, den Engeln nicht entging, als sie begannen, ihr neues Verhältnis zum Kosmos zu bedenken, als die Analogien (ist ein Engel wie ein Quetzal oder mehr wie ein Mensch oder mehr wie Musik?) herumgereicht wurden.»

Nur von fern blinkt da die Satire durch. Was bei all dem, bei allen deformierten Anekdoten, Gleichnissen, Märchen, an Ironie notwendig ist, wird zugegeben, ohne jedoch, und das ist wichtiger, Ironie zu einer Haltung, zur Pose der Überlegenheit werden zu lassen.

Die Geschichte ‹Paraguay› handelt von einem ganz und gar fiktiven Paraguay. Eine utopische Geschichte mit einigen Haken, die allerdings die Haken dieses ganzen

Genres sind. Aldous Huxley hat in ‹Schöne neue Welt›
von Anfang an auf positive Merkmale oder Ansätze
verzichtet und eine Gegenutopie geschrieben. Er geht
auf ironische Distanz zu einer Welt, in der sich die
Technologien voll ausgewachsen haben und auf keinen
Widerstand mehr treffen. In der Gesellschaft ist der
Punkt erreicht, an dem sie in ihrem eigenen Selbstverständnis «optimal», das heißt nicht mehr verbesse-
rungsfähig ist. Da hört jede Freiheit und jede Anstrengung auf, und selbst die Gegenutopie und selbst die Satire hat ihr Ziel erreicht. Barthelme erledigt nicht alles
auf einmal, obwohl auch ‹Paraguay› satirische Züge
trägt. Aber da ist  der Spielraum noch ungeheuer, da
ist auch noch viel Spannung zwischen Wünschen und
Erfüllung. Fortschritt und Absurdität sind ausbalan-
ciert. Da ist noch nicht positive Utopie, aber keinesfalls
Gegenutopie.
Man kann Donald Barthelme nicht festlegen auf utopische Themen. Er selber legt sich ja auch nicht fest. Aber
seine Wahrnehmungsweise und damit sein Schreiben sind
selbst schon ein utopischer Akt. Seine Sätze sind scheinbar mühelos hingeschrieben, womit ich nicht sagen will,
sie wären mühevoll hingeschrieben, aber manchmal wird
man listig mit einfachem und beiläufigem Satzbau darüber hinweggetäuscht, daß es sich um absurde Vorgänge
handelt. Diese absurden Vorgänge sind selbstverständlich
aus realen Vorgängen herausgeschlagen oder werfen auf
sie erst das erhellende Licht. Oder führen uns eine irrationale Mechanik vor, nach deren Gesetzen uns plötzlich
auch andere, für normal gehaltene Vorgänge, abzulaufen
scheinen.
Auf die Elemente aus Fabeln und Märchen habe ich
schon hingewiesen. Barthelme benutzt sie willkürlich,
oft als böse Verfremdungsmittel, aber immer noch können wir darin geheime und verheimlichte Ziele von Sehnsüchten erkennen. Barthelme baut sie in seine Geschichten ein wie Fakten, und das sind sie ja schließlich auch.
Die Geschichte ‹Der Glasberg› ist eine Parabel, die ich

für einigermaßen exemplarisch halte. Hier sind die Sätze mit fortlaufenden Nummern versehen. Eine vollautomatische Geschichte, in ihren Einzelteilen vorgestellt.

# Vom nächtlichen Weg zur Bergfahrt
## Der Schweizer Schriftsteller
## Ludwig Hohl

1971 erschien unter dem Titel ‹Nächtlicher Weg› in der Bibliothek Suhrkamp ein Band mit neun Erzählungen von Ludwig Hohl. Dem Klappentext konnte man ein paar geizende Informationen über Autor und Werk entnehmen, daß Ludwig Hohl nämlich Schweizer ist, 1904 geboren, daß er seit 17 Jahren in einem Kellerraum in Genf lebt und arbeitet, daß er bedeutend ist und seine berühmten Schweizer Kollegen Frisch und Dürrenmatt ihn notwendig und faszinierend finden. Kein Vor- und Nachwort, überhaupt kein Wort darüber, was Hohl seit den dreißiger Jahren, in denen der größte Teil seines Werkes entstand, geschrieben hat. Immerhin kündigte der Suhrkamp Verlag die Herausgabe seines Gesamtwerkes an.

Dieses Gesamtwerk ist immer noch nicht da, aber es sind inzwischen zwei weitere Bücher von Hohl in der Bibliothek Suhrkamp erschienen: 1972 ‹Vom Erreichbaren und vom Unerreichbaren›, tagebuchartige Eintragungen, vom Verlag einmal Notizen, ein andermal Aphorismen genannt. Der andere Band ist erst im Herbst 75 unter dem Titel ‹Nuancen und Details› veröffentlicht worden, ebenso in der Bibliothek Suhrkamp. Und auch dieser Band enthält Reflexionen, Kontemplationen, Beschreibungen körperlicher und geistiger Zustände, Beschreibungen des Lebens- und Schreibenlernens. Kaum Aphorismen. Es fehlt diesen Eintragungen nämlich die erstarrte Geschwätzigkeit dieser Gattung, jene kurzgeschlossenen Punktum-Erkenntnisse, die alle mühevollen Denkbewegungen verleugnen. Oder ist es etwa solch eine schnelle, mühelos-eitle Gereimtheit, wenn Hohl schreibt: «Leben ist gleich Kunstprodukt und Kunstprodukt ist gleich wahrem Leben. Das eine wie das andere erreichen besteht in einem richtigen Verhalten . . .»?

Das ist alles nicht «geistreich» und das schwindelt sich nicht an Widersprüchen vorbei. Wenn das Leben wichtig ist, dann sind auch Hohls Anweisungen zum absoluten Leben wichtig. Man könnte ihn einen Zuchtmeister der Selbstverwirklichung nennen, ohne euphorisch zu werden. Die Ergebnisse seines Denkens und Schreibens in diesen kleineren Formen sind keine Wahrworte, sondern eher Appelle an den Leser, sich zu verändern, zu arbeiten. Die Arbeit ist überhaupt das zentrale Motiv. In unendlich  vielen Variationen setzt Hohl immer wieder neu an zu einer Art Kanonisierung der Arbeit. Für ihn ist sie das Lebensethos schlechthin. Das Mißverständnis muß hier ausgeschieden werden: Gemeint ist vor allem, daß der Körper bei der Arbeit lernt, die Dinge zu verstehen und zu *behandeln*, wodurch er wiederum lernt, sich selber zu verstehen. Das könnte, nur vordergründig betrachtet, eine Binsenweisheit sein, aber für Hohl ist es das Geheimnis der dialektischen Beziehungen und Wirkungen zwischen Innenwelt und Außenwelt. Die aufklärerische Anstrengung ist nicht dazu da, die menschliche Existenz mit einem faden Allerweltslicht zu beleuchten, noch ist sie dazu da, alles Fühlen und Begreifen auf den Nenner eines Systems zu bringen. Für Hohl ist nicht das Resultat existentiell entscheidend, sondern der Weg dorthin, der *einzige* aus einer Vielzahl, auf dem Entscheidungen getroffen werden müssen. Das Resultat, die Formel kann nachher «jeder Apothekerlehrling glatt herreden».

Arbeit ist auch das Staunen darüber, wie viele Dinge es immer noch gibt, wie viele Gestalten und Verwandlungen, und wie oft ein bewußter aufmerksamer Körper noch auf Widerstand trifft, wo andere schon im Leeren gehen.

Wenn Hohl vom Arbeiten spricht, spricht er durchaus auch vom, wie er es nennt, «Schreib-Arbeiten»:

*Die kleinste Schwere stört. Das Schreiben muß, leichter
als ein Blatt, ganz von der Sache getragen sein – so, daß
die Sache keine Kraft braucht damit –, so, daß nur die Sache ist, daß das Schreiben gar nicht ist –, so, daß nur das
Schreiben mehr ist!*

Und über das Arbeiten überhaupt heißt es:

*Arbeit ist immer ein Inneres; und immer muß sie nach ei-
nem Außen gerichtet sein. Tätigkeit, die nicht nach einem
Außen gerichtet ist, ist keine Arbeit; Tätigkeit, die nicht
ein inneres Geschehen ist, ist keine Arbeit.*

Beide Bücher könnten so etwas wie Breviere sein, zum
Immer-wieder-Lesen. Sie sind von einer selten gewordenen Komplexität. Sie sind Sammlungen von Lernvor-
gängen, von Verhaltensweisen, und damit sind sie auch
das Trainingsprogramm eines wichtigen Schriftstellers.
Sie behandeln ein Wissen, das noch nicht und nicht
mehr Wissenschaft ist und das unter der Oberfläche unseres Fakten- und Orientierungswissens verlorenzuge-
hen droht.

Das, was uns als Wunder erscheinen mag, sagt Hohl in
‹Nuancen und Details›, ist nichts anderes als «ein ge-
wöhnliches Gehen in einer anderen Welt». So vergleicht
er auch das Entstehen eines Kunstwerks mit einer
schwierigen Bergbesteigung. Vordergründig mag das tri-
vial klingen, aber Hohl fährt fort:

*... den Absturz in den Bergen können alle sehen; der
Mann aber, der eine Dichtung schreibt oder ein Bild malt,
fährt in vielen Fällen ruhig fort, zu schreiben oder zu ma-
len, als ob nichts geschehen wäre, nachdem er lange abge-
stürzt ist aus seinen Dingen ...*

Das zuletzt bei Suhrkamp erschienene Buch von Ludwig Hohl, die Erzählung ‹Bergfahrt›, handelt von einer
solchen Bergbesteigung. Es ist eine Parabel, deren Inhalt
sich rasch erzählen läßt. Zwei junge Männer wagen dieses
Unternehmen. Sie sind beinahe unzulässig polarisiert:
der eine, Ull, hat alle Eigenschaften des Tüchtigen, der
andere, Johann, die eines schwachen Fatalisten, der zusätzlich noch schwer belastet ist von der Geringschät-

zung des Autors. Gemeinsam bestehen sie die ersten Gefahren und die ersten halluzinativen Einblicke ins Gebirge, Bilder, die so schön und gefährlich sind, als stiegen sie auf aus den Landschaften des Unbewußten (und tun sie es denn etwa nicht in der Imagination des Autors?). Vor der eigentlichen Bewährungsprobe, dem Anstieg zum Grat, kehrt aber Johann um, und Ull geht allein weiter. Beide kommen ums Leben. Johann, schon wieder im Tal, auf banale Art in einem Wildbach; Ull aber stürzt herab wie Ikarus, sozusagen aus einem höheren Licht, sozusagen vom Gipfel seiner Leistung und Erkenntnis.

Sicher ist das eine Modellhaftigkeit, die verstimmt, eine Grenzsituation auf doppeltem Boden, die in ihrer Konstruiertheit nur noch zu beweisen scheint, daß Mühe belohnt wird, und sei es auch nur durch einen bedeutenderen Tod. Vielleicht sind hier dem Autor Bekenntnis und Programm zu weit vorausgeeilt; jedenfalls scheinen mir die Charaktere in ihrer Gegensätzlichkeit zu früh besiegelt. Immerhin, am Ende wird vom Erzähler spekulativ ein Rollentausch der beiden vollzogen, der diesen krassen Gegensatz ein wenig aufhebt – aber eben erst am Ende, so daß es wie eine Korrektur wirkt.

Der Einwand berührt aber kaum die Kraft und Konsistenz der Erzählung. Jeder Satz klingt beinahe anmaßend endgültig, und so hat selbst eine fiebrige Imagination die verletzende Härte von etwas Realem. Jede Phase des Aufstiegs bringt Ull seinem absolut Erreichbaren näher; und jeder Satz der Erzählung hat auch genau diese Bedeutung für den Erzähler (Hohl hat die ‹Bergfahrt› 1926 angefangen, bis 1940 sechsmal umgeschrieben; die hier vorliegende Fassung wäre also die siebente).

Du mußt dich beweisen, deinen genauesten Ausdruck finden, du mußt im genauesten Sinne Eindruck machen auf die Welt, du mußt sie verändern, indem du selbst dich veränderst: Das ist verkürzt und vereinfacht der Extrakt von Hohls Denken und Schreiben. Dem ganzen alpinen Unternehmen haftet, wie dem Handeln des Sisyphos, sowohl die Absurdität solcher Existenzbeweise wie auch deren Notwendigkeit an. Das Subjekt wird verteidigt, der einzelne. Solange es ihn gibt, gibt es Empfindungen, Erfahrungen und Erkenntnis. *Er* soll ja gar nicht aufhören, Welt und Gesellschaft auf sich zu beziehen. Er würde sich ja auslöschen, wenn er objektiv würde, Gesellschaft.

Der Erzähler weiß soviel über die Regungen, Träume und Wahrnehmungen der beiden Figuren, als wäre er selber beide Figuren, und dennoch ist er von einer monumentalen Härte und naturhaften Gleichgültigkeit: In einem einzigen Satz rutscht Ull, der Bergbezwinger, aus dem Leben in den Tod; er rutscht heraus aus dem eigenen Bewußtsein und damit auch aus dem des Erzählers: «... und ward nicht mehr gesehen.»

Die Parabel ‹*Bergfahrt*› ist, wenn man an die beiden anderen Bücher denkt, in denen differenziert wird, bis eine karge und starke, ganz persönliche und körperliche Erfahrung sich abhebt, von einfacher Handlungsführung. Was heißt aber hier «Parabel»? Jedenfalls nicht, daß mit allem etwas anderes gemeint ist, daß jeder Satz eigentlich einen anderen Satz bedeutet und für sich genommen nichts ist. Im Gegenteil, für sich genommen muß er schon alles sein, den anderen Satz völlig aufgesogen haben. Eben das geschieht hier.

Es sind die Bilder, die plötzlich aufleuchtenden Epiphanien, die, der Wirklichkeit entrückt und doch wirklich, Ulls Leben bedrohen. Diese Bergwelt, innere und äußere Landschaft zugleich, ist aber weder freundlich noch feindlich, sie ist nur da, bekannt und unbekannt, Zeitmaße und Entfernungen sind außer Kraft – und also passiert auch hier nicht ein menschliches Drama in der Natur, sondern ein Stürzen, ein Verschwinden auf Nimmerwiedersehn.

Die Stimme des Erzählers tönt aus derselben Einsamkeit herauf. Natur und Einbildungskraft scheinen sich in diesen Beschreibungen gegenseitig in Schutz zu nehmen. Wenn Ull in einer Ferne ein Dorf sieht, heißt es: «... wie keine Dörfer in Wirklichkeit sein können ...» Dann erscheint ein langgezogener «Gipfelbau», der «vielleicht auch den Eindruck erwecken könnte von einem sehr großen Schiff, das nicht in ein Erdenmeer nur, das in die Ewigkeit hinein führe».

Ludwig Hohl ist ein sperriger und eigensinniger Autor, und er ist auch das staunenswerte Beispiel eines Schriftstellerlebens. Er ist immer darauf aus, mit seiner Arbeit alle Einschränkungen und Bedingungen poetischer Erkenntnis außer Kraft zu setzen. Hoffentlich wird seine Gesamtausgabe wirklich erscheinen.

# Versuchte Nähe
## Zu den Geschichten von
## Hans Joachim Schädlich

Ein später Debütant, Hans Joachim Schädlich, ein wichtiger Schriftsteller, obwohl in seinem Land, der DDR, keine einzige Zeile von ihm erschienen ist. In Ostberlin, wo der heute 41jährige wohnt, ist er offiziell völlig unbekannt. In der Bundesrepublik sind einige seiner Geschichten in literarischen Zeitschriften erschienen.
‹Versuchte Nähe› heißt der Band mit fünfundzwanzig Erzählungen, der gerade im Rowohlt Verlag erschienen ist. Ein bedeutendes Buch, frei von jeder Gefälligkeit für die polarisierte Leserschaft, denn Hans Joachim Schädlich ist nicht Dissident, sondern Schriftsteller, und der Nachdruck, mit dem ich auf diese Berufsbezeichnung hinweise, bedeutet, daß Schädlich auf Wahrheit aus ist, auf seine eigene und auf die der Gesellschaft, in der er lebt. Jeder seiner Sätze belegt die Konsequenz dieses Berufes, nämlich, ihn auszuüben, auch gegen jede Räson oder Maßnahme. Den historischen Konflikt zwischen «Geist und Macht» variiert er in vielen seiner Geschichten. Gleichgültig, ob er das direkt tut, aus aktuellerem Anlaß, oder ob er zurückgreift in die Geschichte der Zensur und der Folter, wie am Beispiel des Dramatikers Frischlin, der im 16. Jahrhundert von der Macht nicht gebrochen, aber physisch vernichtet wurde, die Variationen sind immer authentisch und mit heutigen Machtmißbräuchen in aller Welt vergleichbar. Der Geist als permanente Störung und als mächtig-ohnmächtiger Widerpart der Macht bleibt bei Schädlich nicht auf sogenannte Geistesbeziehungsweise Kulturschaffende beschränkt. Auch ein Arbeiter zum Beispiel kann erleuchtet sein, wenn er sich auf sein Recht besinnt und nicht länger sprachloses Kapi-

tal der Herrschaft sein will, sondern mächtig zu sprechen anfängt. Dieser Arbeiter in der Geschichte «Schwer leserlicher Brief» will seinen kranken Vater «im westlichen Teil der Stadt» besuchen, was ihm verweigert wird. Deshalb will er von der Liste der Einwohner gestrichen werden. Einer seiner Begründungssätze lautet so: «Weil ich anderer Ansicht bin über Gründe. Weil, wenn nicht gelten soll, was meine Sache ist, ich an falschem Ort wohne.»

Schädlichs Geschichten sind solche des Fremdseins, des Einsamseins in Gesellschaft. Jedes falsche Wort, jede falsche Bewegung ist schon Verletzung der Verhaltensnorm und kann Folgen haben. Das wissen die Protagonisten, und dennoch leben sie auf diesen Moment hin, in dem sie sich der Macht offenbaren, mit der Wahrheit ihrer eigenen Anwesenheit und ihres Anspruchs auf Leben. Und sie fallen heraus aus dem System, weil sie diesen «Fehler» einmal machen mußten.

Wie mit Facettenaugen betrachtet der Erzählende eine Sach- und Wesenwelt, die an Kafkas Verwaltungslabyrinthe ebenso erinnert wie an Piranesis Kerkerbilder. Die Menschen bewegen sich, wie von einer höheren Instanz chiffriert, durch eine Szene, in der jede Einzelheit als ein Gesetzesvollzug erscheint. Gleichzeitig bemühen sie sich um den Anschein größter Selbstverständlichkeit, so als müsse das Ungeheuerliche nun endlich das Normale werden. Es gibt Momente, in denen der einzelne alles für möglich hält, und er meint dann, sich alle Bewegungsfreiheit und Identität auf einen Schlag herausnehmen zu können. Ein Vorzucken, wie es auch einem hohen politischen Amtsträger passieren kann. In der Titelerzählung beschreibt Schädlich eine Maiparade aus dessen Sicht: «Er sieht hinunter auf dieses ausgezeichnete Bild. Ein schwer widerstehliches Verlangen, sich hinunterzubeugen, den Kopf seitwärts auf den Fußboden zu legen, das rechte Auge ungefähr in der Höhe der Köpfe, den Geräuschen der Fahrzeuge, ihrem Geruch, Lack, Blech, Gummi, ganz nahe ...» Hier wird eine Nähe gesucht, die es unter diesen Bedingungen weder einseitig noch auf Gegenseitigkeit mehr gibt. Man kann es auch sarkastisch sagen: Die Sehnsucht des Führers nach dem Volk, seine Sehnsucht hinunterzusteigen oder gar heruntergeholt zu werden. Da heißt es weiter: «... und er, den sie sehen als einen Einzelnen, will Einzelne: wo wohnt der, der dort lacht, wann ist der losgegangen zu einer Straßenecke, die ihm jemand genannt hat, und: warum geht der dort unten, will er, daß er ist wie er sein soll, damit er, wie er ist, sein will?» Am Schluß, die Parade ist vorbei, befällt den Machthaber Müdigkeit und er halluziniert: «Sehr kurze Zeit will er denken, das eigene Personal, bewaffnet, starre ihn an: aus der Menge, die verschwunden ist, von Häuserdächern herab und aus geöffneten Fenstern, die leichten entsicherten Waffen auf *ihn* richtend; ein Bild, das er, lächelnd, winkend noch einmal, sogleich abweist.»

In einer anderen Erzählung, ‹Kleine Schule der Poesie›, wird die sprachliche Mechanik staatlicher Inquisition in geradezu bitterer Genüßlichkeit dargestellt. Man erfährt, als wie unentrinnbar auch dieses System erlebt werden kann. Hier wird das in einer Protestpose erstarrte Verhalten eines literarischen Rebellen vollständig gebrochen. Die Meister der Dialektik sitzen in den Amtszimmern und fegen, tief enttäuscht und persönlich gekränkt, den ganzen schönen Aufruhr vom Tisch, damit er vom Tisch ist. Und dem Delinquenten fällt die Verblendung wie Schuppen von den Augen; er geht ein in die höhere, die staatliche Einsicht in das Notwendige.

Andere Bereiche der Sach- und Menschenverwaltung können von Menschen kaum betreten werden. Es sind oft Zonen von alptraumhafter Verwunschenheit. Eine Geschichte ist die Beschreibung eines alten hauptstädtischen Bahnhofsgebäudes, in dem Grenzkontrollen durchgeführt werden. Eine Person, gekennzeichnet durch das unbestimmte ‹Einer›, ist dabei, minuziös beobachtend die Umrisse zu vermessen, Eingänge und Treppenstufen zu zählen. Einige Türen führen zwar in das

Gebäude hinein, aber auch schnell wieder hinaus; das Mysterium des Ortes liegt unzugänglich innerhalb einer zweiten, zweckdienlich hineingebauten Architektur. Die genaue Beschreibung dieses Gegenstandes wirkt selber wie ein Akt der Konspiration, weil der Beobachter ein Tabu verletzt, indem er genau hinsieht. Man erfährt nicht, ob er fasziniert ist von der Doppelbedeutung des Ortes. Daß es sich um die Pforte zum Paradies handelt, glaubt er sicherlich nicht. Allerdings halten sich auch andere Leute beobachtend in der Nähe auf, wartend wie «vor dem Gesetz».

Fremd und befremdlich ist diese Prosa, die sich oft selbst den handelnden Personen als Halt oder Hilfe mitzuteilen scheint. Die literarische Verfremdung entfernt hier deshalb das Erzählen so sehr vom Erzählten, um, nichts ist weniger paradox, eine größere Nähe zu erreichen. Und manchmal, das muß kritisch angemerkt werden, entgeht Schädlich dabei nicht der Gefahr einer rhetorischen Stilisierung, wenn er Nebensätze, kommentierende Anhängsel, allzu lakonisch abschüttelt und dabei doch erlesen einfache Adjektive wie Prunkzeug einsetzt. Seine prinzipiell verfremdende Sprache verträgt nicht den forcierten Kunstwillen; dadurch wird mancher Satz, gerade durch Untertreibung, aufdringlich.

Ritualisierungen werden beschrieben, Wortkaskaden wie Truppenaufmärsche, Personenkulte, Büstenkulte, Fahnenkulte, das alte Lied auf neu, hierarchisch gestaffelte Anwesenheits- und Begrüßungslisten, die den satirischen Effekt selber liefern, aber zu geringem bitteren Spaß. Schädlichs Exkurse in die Geschichte (zum Beispiel ‹Besuch des Kaisers von Rußland bei dem Kaiser von Deutschland›) gleichen den Zeit-Reisen in der *Science-fiction*. Der Reisende staunt, daß alles so anders ist, aber noch mehr staunt er darüber, daß eigentlich nichts anders ist.

Kühles Konstatieren unbeweglicher, schon fossil wirkender Zustände. Als Leser möchte man gelegentlich dies beklemmende System anonymer Wirksamkeit für eine bloße «Sehweise des Autors» halten. Es ist allerdings eine Sehweise, eine, die geradezu streng zum Mitsehen zwingt, auf geschrumpfte, kurzgeschlossene und kurzgeschriebene Realität. Bürokratismus, tief eingesickert in Straßenbild und Randmilieu, alles wirkt wie eigens zum Zweck geheimer Observation aufgebaut. Aber Vorsicht, es handelt sich hier nicht um bloße Schilderungen des DDR-Alltags; es sind Parabeln vom gezwungenen Leben. Und Schädlichs Geschichten gehen insofern darüber hinaus, als sie Literatur sind und nicht steckenbleiben im Fortschritt der Stagnation und Leblosigkeit. Hier sind Aussparungen wirklich einmal mitzulesen; zwischen den Zeilen steht das Andere, das andere Leben und die anderen Verhältnisse. Ein bitteres Versprechen. Das genau Gesehene als Versprechen, es zu überwinden.

Das Aufbegehren des Erzählers äußert sich in den meisten Geschichten verklausuliert. Es sind verwirrend vieldeutige offiziöse Sätze, die an Protokolle und amtliche Communiqués erinnern, ohne jedoch mit jener Sprache identisch zu sein. Darin zeigt sich gerade die List des Autors, in diesem scheinbar affirmativen Trick, der kalkulierter Kunstgriff ist. Vordergründig ist der Eindruck da, der Autor sei selbst der Verwaltungssprache und ihren imperativen Gebärden verfallen; in Wahrheit simuliert er Anpassung und nutzt die parodistischen Möglichkeiten. Indem er die Sprache durchsetzt mit älteren rhetorischen Figuren, auch mit alttestamentalischem Pathos in wörtlicher Rede, erzielt er durchgehend eine Fremdperspektive. Der Erzähler, kalt, aufmerksam und anonym bis zum Verschwinden, wird dennoch zu einer Instanz, zu der man als Leser Vertrauen faßt.

Im Zusammenhang gelesen, werden Schädlichs Geschichten zu einem monumentalen System, zur Chronik eines Höllenkreises alltäglicher stumpfer Machtausübung, wie sie den einzelnen durch alle gesellschaftlichen Filter hindurch trifft und manchmal vernichtet. Wie befremdend muß heute Literatur sein, um überhaupt Leser zu finden? Wie befremdend und anstößig darf eine Literatur heute nicht sein? Sicherlich sind Schädlichs Geschichten nicht nett und leicht zu lesen. Dagegen sträubt sich seine Syntax entschieden. Aber es lohnt sich bei diesem Autor das langsame prüfende Lesen. Die Sätze bringen immer viel mehr zutage, als beim flüchtigen Anlesen erwartet, mehr an Erkenntnis und mehr an substantieller poetischer Form. Das Befremdende am Leben selbst, an diesem nur als Rechtfertigung von Instanzen dienenden Leben, wird hier, dank Schädlichs kühner und kompromißloser Darstellung, überwältigend.

Falsch wäre es, würden Schädlichs Geschichten auf den jeweiligen Gegenstand reduziert, auf ein Ärgernis, das man geografisch und politisch lokalisieren kann. Sie enthalten auch mehr als die Not von einzelnen, die, eingeschnürt in ein Reglement, in eine andere als die erwünschte Zwangsläufigkeit geraten. Und sie bieten vor allem keinen Anlaß für selbstgerechte Erbauung. Sie enthalten eine Wahrheit, die uns «im anderen Teil» auch nicht fremd ist. Wie gesagt, Schädlich ist nicht unser Mann «drüben», sondern einer der wichtigsten Autoren deutscher Sprache. Die von ihm beschriebenen Machtstrukturen, die Willkür, die Entfremdung, wir kennen und erkennen das auch. Wir sollten dieses Buch genau lesen.

# Riß im Rumpf des Fortschritts
## Zu ‹Der Untergang der Titanic›
## von Hans Magnus Enzensberger

Ein großes symbolträchtiges Ereignis, der Untergang der Titanic am 15. April 1912, kann einen Schriftsteller wie Hans Magnus Enzensberger nur zu einem auch in der Größe angemessenen Reflex bewegen. So besteht sein Buch nicht aus einer Reihe von Gedichten über die Katastrophe, die an die 1500 Menschen das Leben kostete, sondern wölbt sich zu einem Versepos in 33 Gesängen, umgeben außerdem von einer Anzahl von wohl gleichzeitig entstandenen Gedichten, die das Thema variieren und aktualisieren.

Enzensberger wäre nicht mehr er selber ohne die spektakuläre Weise der Etikettierung: *Versepos – Gesänge*, und dann heißt das Ganze noch einmal *Komödie*. Eine sarkastische Bezeichnung, mit der er nicht etwa das literarische Genre meint, sondern den eigentlich heiter-gemütlichen Ablauf der Vor- und Nachgeschichte jeder Katastrophe, die erstaunliche Fähigkeit der Menschengesellschaft zu lavieren und ihre Unfähigkeit, etwas anderes auf sich zukommen zu sehen als die Hochrechnungen aus der Gegenwart.

Die beschriebenen Aktivitäten sind denn auch vor allem das Weitermachen, das Zurückkehren zur Tagesordnung, lauter banale Überlebenstechniken. Auch auf der Titanic leidet alles, nach der Kollision mit dem Eisberg noch, an Unerschütterlichkeit; niemand glaubt wirklich, trotz untrüglicher Vorzeichen, daß ein Unternehmen wie diese Jungfernfahrt, mit der das *Blaue Band* gewonnen werden soll, übel ausgehen könnte. Die Gymnastik geht weiter, die Band spielt weiter, und der Passagier Jacob Astor schlitzt mit «der Nagelfeile» einen Rettungsring auf, um seiner Frau zu zeigen, was darin ist.

Die Titanic war ein Schiff der Superlative, in jedem technischen Detail eine Errungenschaft, es war größer, schneller und luxuriöser als jedes bisher dagewesene Schiff. Seine Unsinkbarkeit war sprichwörtlich, schon vor dem ersten Auslaufen.

Enzensbergers «Titanic» ist eine stolze Metapher für die Geschichte des Fortschritts und für deren gigantomanische Endlösungen. Sie hat, von Mann und Maus noch unbemerkt oder geleugnet, einen Riß im stählernen Rumpf. Es ist ein Riß, der die individuelle wie auch die gesellschaftliche Existenzkrise, die Überlebenskrise, bezeichnen soll. Der Ort der Katastrophe ist überall, die Zeit jederzeit. Die Vorzeichen können verstanden und auch bestritten werden, es ändert nichts daran, denn «pünktlich, wie immer, folgt aus der Notwendigkeit das Chaos».

Mehr und mehr schwindet beim Lesen das Unbehagen an der ehrgeizigen Allerweltsmetapher, und durch die beiläufigen Informationen über die Zustände des Verfassers beim Schreiben («... ich schrieb, bleich vor Eifer»; «amüsierte mich mit dem Untergang») wird ein Vertrauen erweckt, das nicht mehr verlorengeht. Auch dann nicht, wenn sein Verstand hart durchgreift und vor lauter Montage und Kontrapunktik die Sprache zu erstarren droht.

Die Kraft der Imagination erzeugt eine Gleichzeitigkeit aller Ereignisse, von denen in diesem Buch die Rede ist. Zitate von Untergegangenen vervollständigen die der Überlebenden, und wenn der Fortschrittsglaube munterer Genossen jeglicher Zeit unterminiert wird, so geht Enzensberger mit jenen Untergangssüchtigen, die damals endlich, triumphierend, den schönschauerlichen Beweis erhielten, auch nicht nachsichtiger um.

Die andere Metapher, ein Mythos, größer noch als das Schiff, ist der Eisberg, eine Verkörperung des, sozusagen, Naturbösen, etwa wie Moby Dick, wie der Malstrom bei Edgar Allan Poe. Er ist eine bewußtlos schöne, gleichgültige Gewalt, das eigentlich doch beherrschbare

*Restrisiko*, das trotz aller Unterwerfungen Unbesiegbare. Es gibt aber in und zwischen den Zeilen genügend Hinweise darauf, wie Enzensberger die Rollen inzwischen vertauscht sieht. Der Platz zum Leben mußte früher der Natur abgerungen werden. Was aber tut sie heute zu ihrem eigenen Überleben, und gegen wen?

In seinen dreiunddreißig Gesängen hat Enzensberger kaum einen Aspekt der Betrachtung, Untersuchung und Spekulation ausgelassen. ‹Der Untergang der Titanic› ist ein durchkalkuliertes poetisches Projekt, ein weitverzweigtes und kompliziertes Assoziationssystem, in dem Platz ist für Mystifikationen wie auch für authentische Details. Jeder neue Gesang ist zugleich auch eine neue Version.

Es gibt unter anderen so verschiedene Betrachtungsraster wie Sicherheit, wirtschaftlicher Nutzen, Hierarchie (Klassengesellschaft an Bord), statistische (Un-)Wahrscheinlichkeit des Untergangs, Dekadenz und schließlich den Auslese-Aspekt, wenn der Kapitän ruft: Rette sich, wer kann! und damit den Kampf um die Bootsplätze auslöst. So wird auch der Leser in großer widersprüchlicher Unruhe gehalten. Nichts bekommt er schwarz auf weiß, und endgültig ist immer nur das Faktum Untergang.

Zeiten und Räume sind übereinandergeschichtet, lauter durchsichtige Abgründe, das Archiv der katastrophalen Fortschrittsgeschichte. Eine besondere Rolle spielt die Zeit Ende der sechziger Jahre, als Enzensberger, auf Kuba, an einer ersten, auf seinen Reisen verlorengegangenen Fassung des Untergangs der Titanic schrieb. Was für eine Art und Weise des Überlebens war das damals, als sich, in Kuba, viele «in einem Boot» wähnten?

Kuba jedenfalls ist auch in dieser endgültigen Fassung der Ort der Reflexion und Imagination geblieben, auch eine Titanic, auch ein Untergang und eine Komödie, obgleich aus anderem Stoff (mit zur Komödie gehört auch das damalige Leben in Berlin, der Kampf der Studenten, ihre Richtungskonflikte und Partys).

Berlin hatte, schreibt Enzensberger, damals seinen Untergang schon hinter sich, während Kuba ein Ort der Hoffnung und zugleich *Kehrrichthaufen der Geschichte* war, der rettende Hafen und auch schon die enttäuschte Sehnsucht. Und er verschweigt nicht (darüber haben gewisse Leute nie zu schmunzeln aufgehört), wie illusionär ihm heute der damalige Tourismus in die Karibik erscheint: «Ich wollte nicht wahrhaben, daß das tropische Fest schon zu Ende war. (Was für ein Fest? Es war nur die Not, du blutiger Laie, und die Notwendigkeit.)»

Diese Notwendigkeit wird also heute eingesehen, wo die eschatologische Erwartung längst verschüttet ist unter «Schuhen, Glühbirnen, Arbeitslosen, nagelneuen Vorschriften und Maschinen». Wahrscheinlich irrt nicht, wer da nicht nur Bitterkeit heraushört, sondern auch Genugtuung.

Aber es gab in Kuba, unsichtbar für das realpolitische Auge, noch etwas anderes, die Faszination am Untergegangenen, an der untergegangenen Kolonie, an den toten Mündern der Nachtfalterexistenzen, der Gangsterbosse, an den verwischten und abblätternden Spuren in den eilig verlassenen Luxusnestern. Kuba war ein Traum von einem Schiff, ein amerikanischer, bombastisch aufgedonnerter Traum, aus dem das Erwachen jäh war.

Wenn Enzensberger heute beschreibt, wie er damals am *Untergang* schrieb, und wie, auch damals schon erkennbar, nicht die konkrete Utopie, sondern realer Sozialismus die Verhältnisse zu bestimmen begann, dann hat seine (metaphorische) Titanic gleich noch mal die Flagge gewechselt und befindet sich doch nach wie vor in der Gefahrenzone des Eisbergs.

In seinen Gesängen allerdings wird der Lauf der Dinge noch gehemmt von schönen, romantisch-regressiven Bildern, wie er sie vor zehn Jahren aufnahm: «... wo mir die jungen Mulattinnen mit der Maschinenpistole im Arm zulächelten ...»

Jetzt ist der Blick älter. Jenes Vertrauen in die Geschichte ist nicht erhalten geblieben, und auch durch die

Bilder geht «der Riß». Jetzt macht die Imagination den entscheidenden Unterschied nicht mehr. Vor der Sonnenterrasse Habana versinkt nicht nur der Prunksarg aus gestohlenem Mehrwert, auch der Eisberg taucht wieder auf, «sehr viel größer und weißer als alles Weiße ... unerhört hoch und kalt, wie eine kalte Fata Morgana trieb er langsam, unwiderruflich, weiß, auf mich zu.»

Schiff, Eisberg und Untergang bezeichnen nun auch, indem sie alle klugen Differenzierungen durchschlagen, das persönliche Schicksal des Autors, die unwiederholbare Zeit, die an ihm und in ihm selbst vergeht. Das hat Enzensberger in den Versen kaltblütig mitinszeniert. «Der Anfang vom Ende», so heißt es, «ist immer diskret.» Er ist zuerst nur ein feines «kristallenes Zittern». Melancholie kommt wie zwangsläufig auf, und Wut ist gegen die Melancholie gesetzt und gegen die Wut wieder Melancholie. Resigniert wird auch, und die Resignation auch wieder abgetan als Pose.

Die sechzehn eingestreuten Gedichte fügen sich nicht immer ein, wirken oft nur absichernd statt erweiternd. Es sind darunter versierte, wieselflinke Repertoire-Figuren («das nicht in Heidelberg verlorene Herz»; «ein süßer Trost bei trüber Aussicht»), diese bloß noch satirische Attitüde, mit der er Klischees durchknallen läßt, oder geistliche Erbauungslyrik mit den Refrains vor Optimismus platzender Seemannslieder zusammenmontiert, die sind wohl nur noch zum Wiedererkennen da, Geschicklichkeiten, die ihm unterlaufen. Auch das Hantieren mit der sogenannten breiten Palette, die *talking blues*- und Moritaten-Klänge sind nicht das, was an dem Buch so überzeugend ist.

Das sind vielmehr die Gesänge, das ist die Kraft der gar nicht poetisierenden, der Imagination sich völlig öffnenden Beschreibungen. Darin ist auch wie absichtslos der Blick genau, das Gehör genau für alle Phasen des Untergangs. Den Riß sieht Enzensberger durch den Schiffsrumpf und durch vieles gehen. Die Analogien, die ausdrücklichen wie die nahegelegten, werden selbst wieder eingeschmolzen und kehren in die Geschichte vom Untergang der Titanic zurück, ohne ihre Schrecken, ihre Katastrophenversprechen widerrufen zu haben.

Damals in Kuba lief *der Film*, «eine morsche Kopie». «Über das schneeweiße Deck hüpfte Barbara Stanwyck mit Clifton Webb.» Doch zunächst zerbrach an Bord keine Vase und kein Champagnerglas. Es konnte noch unendlich lange mit Weitermachen weitergemacht werden, bis das Wasser in alles eindrang, «salzig, geduldig».

Das ist in beträchtlichem Maße große Poesie. In den Gedichten über Leben und Arbeit älterer Meister ist die ästhetische Faszination, die von Untergängen ausgeht, schuldbewußt und sarkastisch reflektiert, der gefährliche Spaß an der Apokalypse eingestanden. Die Freude über das gelungene Zerreißwerk («Apokalypse. Umbrisch, etwa 1490») ist eine diebische Freude und für den Meister äußerst belebend, sie ist paradox, der alte Widerspruch, der aber zur Komödie gehört und deshalb auch den Gesängen eine notwendige zusätzliche Dimension erschließt.

Enzensberger *belebt* die Bilder jener umbrischen und niederländischen Meister im wörtlichen Sinne. Das Personal tritt aggressiv aus dem Rahmen hervor. Die Hand mit Messer oder Säbel ist nicht nur erhoben, sie schlägt auch zu. Orientalische Gestalten, Tiere und Dinge überschwemmen die Decks, als hätten sie das Schiff erobert.

Sie stammen aus einem Bild im Palmensalon der Titanic, und ihre Bedeutung wird der Leser kaum verkennen. Sie stellen die Dritte Welt dar, die nicht daran denkt, mit zu ersaufen. Am Morgen des 14. April, vor Schiffsuntergang, verschwinden sie. «Sie hinterließen nur einen wüstenhaften Geruch und den Mist ihrer Tiere.»

Als Pate aller alten und neuen Meister, die je den Blick zurück in Hölle und Chaos wagten, erscheint Dante. Er ist der durchs historische Gefüge geisternde Augenzeuge. Nichts ist damals in Kuba verlorengegangen, außer der ersten Fassung der Gesänge vom Untergang der Titanic. So sagt es Enzensberger selbst, und wieder nicht ohne

Genugtuung. Doch die ist nicht der vorherrschende und nicht der letzte Ausdruck. Der letzte Ausdruck ist Verwirrung und panisches Erschrecken.

Am Schluß des Buches heißt es, so als bedeute dies zugleich auch das Ende aller Gesänge: «Ich schwimme und heule. Alles, heule ich, wie gehabt, alles schlingert, alles unter Kontrolle, alles läuft, die Personen vermutlich ertrunken im schrägen Regen, schade, macht nichts, zum Heulen, auch gut, undeutlich, schwer zu sagen, warum, heule und schwimme ich weiter.»

# Einübung in das Vermeidbare
## Zu Alfred Kolleritsch

Alfred Kolleritsch, geboren 1932, lebt, hauptberuflich Gymnasialprofessor, in Graz in der Steiermark. In diesem Jahr hat er im österreichischen Residenz Verlag seinen ersten Gedichtband veröffentlicht, ‹Einübung in das Vermeidbare›, für den er im Sommer den Petrarca-Preis erhielt. Zwei Romane, ‹Die Pfirsichtöter› und ‹Die grüne Seite› waren vordem schon erschienen. Kolleritsch ist außerdem Herausgeber der Literaturzeitschrift *Manuskripte*, die auch in der Bundesrepublik als eine der wichtigsten erachtet wird.

Dieses poetische Sprechen, Beschreiben, Erzählen, diese Stimme, sind verzweifelt ruhig. Alfred Kolleritschs Gedichte – nie, außer vielleicht in der Lyrik Ernst Meisters habe ich einen solchen Eindruck gehabt – sind ganz bei sich selbst, sind ganz auch das sie hervorbringende Bewußtsein. Sie scheinen immun zu sein gegen jede Übereinkunft, ja gegen die Realität selbst, obwohl sie doch ausschließlich von ihr handeln. Hier gibt es eine ganz selten gewordene Balance zwischen den Gewichten der Außenwelt und der Innenwelt, eine Balance allerdings, bei der man oft kaum zu atmen wagt, denn sie ist labil von Grund auf, ein dialektischer Schwebezustand, in dem alles, jede Behauptung, jede Bewertung rasch in ihr Gegenteil umschlagen kann. Die Sicherheit in diesem Sprechen ist das Ergebnis einer prinzipiellen Unsicherheit. Das Greifbare kann nur für den Moment ergriffen werden; jede Situation verändert es, verändert den Gedanken wie das Gefühl. Mit Disziplin bemüht sich Kolleritsch dennoch, Haltbarkeiten zu gewinnen, Erinnerungen aufzubewahren und ihnen damit die Würde, die Realität zu erhalten. Die Offenheit für kontemplative Ruhezustände und Anfälle macht alle Kategorien, alles schon Gewußte erst einmal ungültig. Kolleritsch hat die Nerven, zuzusehen, was sich da an Wahrheit sammelt in der Sprache, wie zum erstenmal. Er hat es deshalb auch nicht nötig, Verfremdung herzustellen mit Kunstverstand mit irgendeiner, wie es so oft heißt, Schreibweise, deformierender Sehweise, vielmehr ist hier Verfremdung vorgegeben in der Konfrontation von Innen und Außen. Auch andere Etikettierungen werden an diesen Gedichten falsch; Sinnlichkeit etwa ist keine in die Texte transplantierte Sonderqualität, sie ist da, selbstverständlich, hat die Sprache durchdrungen, und als nichts Besonderes.

«Erinnerungen können sich ausbreiten, / sie nehmen die Kälte / von Abbildern an, / ein Landschaftsprofil, / dessen Gesicht beginnt, / wo es aufhört.» So heißt es in einem Gedicht. Und ein anderes beginnt so: «Auf dem Familienbild der einzige sein, / der noch lebt, / . . .» Einige Gedichte, lange schürfende Versuche, die Kindheit zu erinnern, beschäftigen sich mit dem Elternhaus, mit den schweren grauen Zonen vergangener Epiphanien. Die schmiedeeisernen Nägel «rissen die Fußsohlen auf», schreibt Kolleritsch. «Wer hier ging, / wurde verletzt, war gewarnt, / verletzbar zu bleiben.»

Wie mit der Erinnerung, so ist es auch mit der Wahrheit eine Mühe und mit dem Verstehen. Verstanden werden die Zitate. Kolleritsch spricht von dem «Eis in den Anführungszeichen», das die Sinne regiert, von Vorfahren, die tot aus dem Haus getragen wurden, von den Dienern die starben ohne Aufbegehren, deren Lohn ein zu niedriger war, Fragen zu stellen.

Entscheidend aber: von all solchen Topoi gehen Konfliktmomente aus, wird das Bewußtsein infiziert. Die Ruhe ist nicht Gelassenheit, es ist die Ruhe einer tiefen Verstörung, ein Wahrnehmen wie unter Schockeinwirkung. Der Blick auf die Realität, der sich kaum je auf spektakuläre Vorfälle einläßt, nicht auf sogenanntes Konkret-Gesellschaftliches oder Politisches, hält sich an die winzigen, doch so erschreckenden kleinen Symptome. So entsteht eine poetische Disziplin, die ständig in Gefahr ist, unter dem allgemein für wichtig gehaltenen Kanon von Wirklichkeitsauswüchsen zu ersticken. Und doch ist diese Unterströmung von Realität in uns allen. Es sind unsere Enttäuschungen, unsere Leiden an uns selbst, an der Unzulänglichkeit des Bewußtseins, des Denkens, das, wie es bei Kolleritsch als anthropologische Anspielung steht, «eine schwere Krankheit ist». Und ebenso ist es das Leiden an der Vernunft, die dem Bewußtsein in der Krise nicht mehr helfen kann, an der Liebe, die zu groß für uns ist, als daß wir uns ganz auf sie einlassen könnten, ohne zu verschwinden. Schließlich auch Trauer über die Abwesenheit des Absoluten, das erlebt wird wie eine ewige Gottesferne. Und wir können, wie die Königskinder im Volkslied, nicht zueinanderkommen. Die Fremdheit ist zwischen uns, die uns quält, die wir aber auch schon – so sind wir konditioniert – nötig haben.

Die Grenzen des Verstehenkönnens sind rasch erreicht, so als ob die Gefühle für sich bleiben, sich nicht vereinnahmen lassen wollten als Widerpart des Verstandes. Alle Grenzen sind rasch erreicht. In einem Gedicht heißt es: «Daß du da bist, / daß ich da bin / und die glühende, / schmelzende Grenze zwischen uns.» Aber später: «Dann, im Autobus, / starrst du wieder die Grenzen an, / die uns trennen.»

Es ist schön, diese Gedichte nacheinander zu lesen in einer eigenen Ruhe. Sie brauchen Ruhe und große Bereitschaft des Lesers, seinerseits wahrzunehmen. Wie wichtig dann diese Formulierungen sind, die so gar nichts Ausformuliertes haben. Der Ausdruck der Trauer tröstet dann, und für eine Weile ist das Für-sich-allein-fühlen-müssen besiegt.

So ist dieser große Gedicht-Zyklus ein Weltgefühl aus Schmerz, aus Liebesverlorenheit und Liebesverlust, hinter dem Rücken der Welt. Kolleritschs Sprechen hat die Kälte der Fremdheit, es liegt darin der befremdete Hader gegen das Sosein der Zustände, aber auch eine wohltuende Wärme, die daher rührt, daß er nicht will, daß die Mühe ein Ende hat, die Bemühung und Sorge, daß die Sprache einer solchen Poesie, indem sie die Misere beschreibt, auch etwas verspricht und selbst einen Teil dieses Versprechens bereits einlöst.

Noch etwas: in Kolleritschs Gedichten, so scheint es mir, gibt es keinen Widerspruch mehr zwischen dem willkürlichen Schreiben und jenem unwillkürlichen Anteil an der Stimme, dem Seelenrumoren, das sich doch, stelle ich mir vor, mit dem Ingrimm der Sprache selbst verbündet.

«Das Spiel ist aus», so lautet ein wiederkehrendes Motiv, das den kritischen Punkt des Denkens, der Existenz und des Bewußtseins davon bezeichnet. Auch der Tod ist enthalten in jedem lebendigen Reflex, wird sozusagen in Erinnerungen antizipiert. Der Tod ist unfaßlich gegenstandslos, aber Kolleritsch findet Chiffren dafür, Wunden wie von Geißelungen, Arrangements von Gegenständen, Schrecksekunden, die wie ein jähes Ende sind.

Meine Verlegenheit, diese Gedichte zu beschreiben, zu charakterisieren, ist groß. Es gelingt nur in dürftigen Annäherungen. Ihre Schönheit ist schwierig. Und es gibt nicht den geringsten Grund, damit in Gedanken *fertig zu werden*. Obwohl ich dieses Buch vier- oder fünfmal gelesen habe, habe ich noch immer nichts schwarz auf weiß, erkenne ich immer neue Assoziationen darin, andere Bewegungen, das immer andere.

# Ich weiß nichts Dunkleres
## denn das Licht
### Über Ernst Meister

Ernst Meisters Poesie wird heute auf dem Literaturmarkt wie eine kulinarische Spezialität gehandelt. Die Wertschätzung ist groß; eine breitere Resonanz gibt es nicht. Die Frage ist, ob nicht die Eingeweihten diesen Schatz mit ihren Bannlobsprüchen hüten, eben damit er Spezialität bleibt? Und übt sich nicht der Luchterhand Verlag in unbescheidener Zurückhaltung, indem er Meisters Bücher mit langsamer Geduld verbreitet und sie dafür schnell wieder einstampft? Manchmal hat man den Eindruck, daß auch Eingeweihte nicht wissen, was sie da hermetisch unter Verschluß halten.

Susan Sontag hat in ihrem Aufsatz «Gegen Interpretationen» belegt, daß diese oft nur Abwehrreflexe sind gegen das Unerträgliche, das die Literatur mehr oder weniger kontinuierlich hervorbringt. Noch schneller kann die lesende Gesellschaft mit Beispielen gefährlicher Literatur fertigwerden, indem sie sie nur noch kategorisiert, also mit einer Banderole versieht, auf der z. B. steht ‹hermetisch›. Damit hat sie die Schuld an dieser Kategorisierung auch sogleich dem Autor zugeschoben, der sich ja offensichtlich nicht verständlich machen will. Daß der Gegenstand ein schwieriger sein kann und daß Poesie, sofern sie etwas taugt, sich nicht gratis verschleudert, kommt wohl überhaupt nicht mehr in den Sinn.

Ich will über Ernst Meisters Gedichte schreiben, über sein Gesamtwerk, auch über die frühen Gedichte und die danach, auch über die neuesten. Gerade diese neuesten sind wieder so schwierig und zugleich so einfach, wie es die ältesten sind. Schwierig, weil sie einem den

Zugang nicht von vornherein durch Verständigungsvorgaben erleichtern, etwa indem suggeriert wird, daß die Welt so und so nun einmal ist, wie jeder wisse und daß der Autor aufgrund seiner besonders originellen Seh- oder Schreibweise doch noch etwas Besonderes aus dieser Übereinkunft herausschälen kann. Bei Ernst Meister gibt es weder die pure Deformation des Gewöhnlichen, noch gibt es die eingeführten Sinn- und Sprechfiguren des Alltags oder Feiertags. Obwohl (scheinbarer Widerspruch) alte rhetorische Wendungen mit heutigen Ausdrucksmitteln zusammengespannt sind, wird doch nicht der geringste Kompromiß mit einer sogenannten Schreibweise eingegangen, mag sie nun vorherrschend oder bloß abgenutzt sein. Man findet nie den vor lauter Sinnfälligkeit blind und leer gewordenen Ausdruck, nie auch angebliche Qualitätsmerkmale angestrebt, etwa, daß man «wieder *ich* sagen kann» oder daß viele Wörter «einfach die Dinge des Alltags bezeichnen». Einfach hingegen sind Ernst Meisters Gedichte deshalb, weil sie von den Gewißheiten und den Mysterien unseres Daseins handeln, von begreiflichen Gedanken und vom unbegreiflichen Denken, von den Schmerzen und Freuden einer ungläubig staunenden menschlichen Existenz. Ist es nicht verwunderlich, daß dieses Recht und diese Notwendigkeit verteidigt werden müssen?

Obwohl sich immer wenige tausend Leute auf Ernst Meisters Gedichte eingelassen haben, sind die ja nie – soll ich sagen *glücklicherweise*? – im Kommen gewesen und konnten deshalb auch nicht im Kommen und Gehen verschlissen werden, also keine Gebrauchs- und Wegwerfartikel im Sinne einer schicken Kunstideologie.

Ernst Meister wurde 1911 in Hagen geboren. Er studierte Theologie und Philosophie, was beides in seiner Dichtung deutliche Spuren hinterlassen hat, eine meditative Grundhaltung, ein Denken, das offener Vorgang bleibt und dem keineswegs die poetische Form für ein Resultat steht. Dieses Denken hat poetische Methode, ist immer mit der sinnlichen Daseinserfahrung verbunden.

So wird der Gedanke im Gedicht nicht erlöst sondern aufbewahrt.

Ernst Meister lebt noch immer in Hagen und ist beileibe kein dichtender Kosmopolit, eher einer, der sich schon früh auf seinen Teil beschränkt hat, «umgrenzt», wie Gottfried Benn das einmal nannte.

Wenn man seine Gedichte einmal chronologisch liest, fällt einem die fortschreitende Reduktion auf. Aber Fülle ist auch noch in der äußersten Verknappung. Das Sagenhafte, die Kindheitsträume, die Wünsche einer Märchenwelt, Zitate einer früheren Menschwerdung, noch einmal von heute her beschworene Menschheits- und Göttermythen – alles bleibt aufbewahrt im Bewußtsein des Gedichts (‹*Die Formel und die Stätte*› heißt einer von Meisters Gedichtbänden). Sprichwörtliches entsteht derart, als wäre es immer schon dagewesen. Aus dem biblischen Menschensohn wird der «Gedankensohn», in der eigenen, der «Todeshaut». Oft sind die Gedichte wie Sonden, mit denen Meister unsere *eigentliche* Geschichte erkundet. Und alles wird gehalten von einer Sprache, die eigenartig und gelassen weiterrinnt, wie eine besondere Spielart der Natur, wie eine verlorene Sprache von uns allen.

Es gibt in Ernst Meisters Werk ebenso unzweifelhaft eine Entwicklung, wie es auch Brüche und Widersprüche gibt. Es gibt darin heute auch einen Grad an poetischer Erkenntnis, der, oberflächlich betrachtet, nur knapp neben seinen Anfängen liegt. Ein 1932 veröffentlichtes Gedicht geht so: «Das Dunkel fragt man nicht, / wie es ihm geht. / Es singt nicht. / Es hat keine Augen. / Dunkel ist ein toter Hund.» Und in einem gerade jetzt veröffentlichten Gedicht heißt es: «Ich weiß / nichts Dunkleres / denn das Licht.»

Hier wird etwas deutlich von Meisters Erfahrung der Vergeblichkeit. Beim Lesen seiner Gedichte habe ich niemals über ihren ganzen Reichtum an Anspielungen souverän verfügen können. Ich glaube aber nicht, daß das ein besonderer Nachteil war. Die schmale intensive Erregungsspur seines Geschriebenen ist Denken, Fühlen und auch der Stolz darauf, auf den Beinen zu bleiben, trotz des umfassenden Begriffs der Vergeblichkeit und der Absurdität. Es gibt heute nur wenige, die so rigoros das Absurde aushalten und die sich so unbestechlich gegen die eindimensionale Einstimmung wehren.

1932 veröffentlichte Ernst Meister seinen ersten Gedichtband unter dem Titel ‹Ausstellung›. Diese Anfänge waren extravagant und provozierend, wirklich jugendliche Gedichte, versetzt mit dem guten surrealistischen Gift. Sie haben noch immer eine enorme Leuchtkraft und Farbigkeit. Hier ist der poetische Zugriff heroisch und willkürlich und läßt sich nicht von einer gesellschaftlichen oder sonstigen Wirklichkeit kontrollieren. Aber auch diese Gedichte sind schon, wie die späteren, von Todesbildern durchwirkt.


Monolog der Menschen

Wir sind die Welt gewöhnt.
Wir haben die Welt lieb wie uns.
Würde Welt plötzlich anders,
wir weinten.

Im Nichts hausen die Fragen.
Im Nichts sind die Pupillen groß.
Wenn Nichts wäre,
o wir schliefen jetzt nicht,
und der kommende Traum
sänke zu Tode unter blöden Riesenstein.


So wie Ernst Meister gelassen bekennt, daß er nach allem nichts Dunkleres weiß denn das Licht, so sind ihm auch Leben und Sprache (im Gegensatz zu Tod und Schweigen) ein Mysterium geblieben – trotz aller Erleuchtung. Für einen Augenblick, eben im Gedicht, können diese Gegensätze sich wie in einem erhabenen Lebensgefühl miteinander versöhnen, etwas Abstand, etwas Sinn und Verstand schaffen, «so daß / Lebendiges sich sieht / im Gehn». Sogar der ungeheuerlichste Gegensatz zwischen dem Allgemeinen und dem Besonderen wird von Ernst Meister zu einer poetischen Korrespondenz eben zwischen dem Allgemeinen, dem All und dem Besonderen, dem Ich. Im Kontext gelesen entsteht ein großes wahrhaft humanes Pathos der Verlorenheit; ein Mißverhältnis wird zu einem Verhältnis: die Zeit des Universums und der Tod des einzelnen darin. «Die Offenheit ist groß», heißt es in einem Gedicht, «verbirgt sich aber neu / in eines jeden Tod.»

Meister hat in seinem Werk wirklich den «Ewigkeitsschrecken» formuliert. Er ist für ihn ein Faktum geblieben und ein Gegenstand poetischer Beschäftigung. Wie unziemlich überrascht tun wir manchmal, wenn uns dieser Ewigkeitsschrecken scheinbar in Gestalt des Gewöhnlichen erwischt, denn in Wahrheit hat er nur unsere dünne Schutzhülle durchschlagen, die wir Realität nennen. Wieso haben wir je angenommen, daß Poesie für uns Heutige nicht auch noch Beschwörung ist? Ein Versuch, immer nur ein Versuch, den Schrecken von Zeit und Raum in eine Formel aus Wörtern zu bannen? Mir scheint, daß aber an die Stelle der Beschwörung alle möglichen Beschwichtigungen des Schreckens getreten sind, Täuschung und Selbsttäuschung, der allgemein anerkannte Irrtum. Das Eis ist dünn, eigentlich wissen wir das.

Der Sprache traut Ernst Meister alles zu. Trotz ihrer Unvollkommenheit und ihrer Fehlerquellen enthält sie alles, auch die Sprachlosigkeit, auch das Nichts. Er bietet nicht nur das Gesagte auf gegen das Ungesagte, also Wörter gegen Nichts, sondern mit ihnen auch die Geschichte der Wörter, den verschollenen Sinn der Wörter für das Unfaßbare und Unermeßliche. Und die Rhetorik, die er oft nur in winzigen Elementen verwendet, ist nicht überkommenes Dekor, sondern ein Mittel der Verfremdung und gleichzeitig die Erinnerung an einen universalen Sinn, der uns verlorengegangen ist. Denn diese Rhetorik fließt nicht in Schönheit dahin, vielmehr ist sie gebrochen von Zweifel und Widerspruch eines absolut Heutigen, der, darin mit Gottfried Benn verwandt, dem sinnleeren Nichts das Sagen, das Sprechen, die Poesie abgewinnt.

Meisters Meditationen über den Tod bei lebendigem Leibe strahlen einen biblischen Märtyrermut aus, aber auch eine heitere agnostische Gelassenheit. Sein Zugriff ist viel direkter als der seiner jüngeren Zeitgenossen, die erst ein ganzes industriell gefertigtes Warenarsenal aus dem Weg räumen müssen, um den «Ewigkeitsschrecken» wieder erfahren zu können. Er geht ruhig die großen Begriffe an, Leben, Tod, Universum und findet darin die Erhabenheit der kleinen menschlichen Wahrnehmungen und Empfindungen wieder. Gelegentlich und wie nebenbei winzige Chiffren für die mythische Wesenhaftigkeit der Natur, «der böse Ginster», oder «die ernste Pinie», bekanntes Unbekanntes, Zeichen für das Noch-nicht-Totsein, für die Hoffnung und Behauptung, daß Leben sei, Gesang, und sei es auch ein Gesang ohne Grund.

In dieser Sprache ist deshalb alles so lebendig, weil nichts der Verdrängung des Todes dient. Bewegung, Farbe, Klang – manchmal ist alle Schwerkraft aufgehoben, und die Verse haben dann etwas Tänzerisches, Schwebendes, andererseits sind sie formal von einer liturgischen Strenge, die dem Entsetzen über die Endlosigkeit von Raum und Zeit einen Halt gibt.

Ich habe oft das Gefühl, einige von Meisters Gedichten in mir herumzutragen und eine besondere Membrane für sie entwickelt zu haben. Diese menschliche Verlorenheit, diese zerfetzten Weltbilder, Scherbengerichte der Geistesgeschichte – von Lebenshilfe kann da nicht die Rede sein, und trotzdem ist seine Poesie für mich ein über vieles hinausgreifendes Erlebnis, und so ein Erlebnis kann schon auch ein Trost sein.

Im Herbst dieses Jahres ist unter dem Titel ‹Im Zeitspalt›

ein neuer Gedichtband von Ernst Meister im Luchterhand Verlag erschienen. Die Reduktion der Sprache und
Formen ist darin noch weitergetrieben, erschreckend
weit. Es sind kleine offene Formeln, Abschied-von-der-
Erde-Formeln, ganz kleine und ganz bedeutende Exerzi-
tien. Was Pathos war und übermütige Sprechgeste, einmal wahr und authentisch, ist im Lebenslauf versickert.
Ernst Meister ist da angekommen – ein gefährlicher
Punkt –, wo sich die Wörter um den Sinn bringen, auch
an den Grat zwischen Mitteilung und dem Schweigen, in
dem keiner mit Wörtern einfach weitermachen kann ohne abzustürzen. Das weiß Ernst Meister, «das wissen die
Verständigen aber». Um diesen Endpunkt herum sind die
neuen Gedichte gruppiert, und von diesem Endpunkt
handeln sie auch. Noch einmal Worte über das Wortelo-
se, Sinn für den Nicht-Sinn. In ganz wenigen Worten. Im
Rückblick erscheint einem das als von langer Hand vorbereitet. Schon in ‹Zahlen und Figuren›, 1958 erschienen,
ist es so zu lesen:

Gedächtnis

Es ist das Gehn, der Weg
und weiter nichts.
Die Schwermut blinzelt,
Sonne im Zenit.
Staub streuen lächelnd
Tote dir aufs Lid.
Es ist die Last
nie größeren Gewichts.


Verdacht gedacht,
Gram –
Bücher Grams gegrämt
und wiederholt
so Fragen wie Geduld.
Du holde Kunst . . .
Ist Sinn um Sinn gebracht,

erschrickt das Holde noch
in seiner Huld.
Es ist die Last
nie größeren Gewichts.
Dem Wendewind,
den du entmündigt hast,
folgt her und hin
der Gräser Haupt im Ried.
Staub streuen lächelnd
Tote dir aufs Lid.

Es ist die Last nie größeren Gewichts.


Und jetzt, 1976, heißt das, ebenfalls als Frage nach der
Zeit des menschlichen Gedächtnisses:


Ende, das fertige,
ganz und gar jenseits
des Häuslichen, wo
Umgang war miteinander.

Was solls dann?
Freilich, das
entblutet ent-
blasene Hirn

ist ledig der Täuschung.
Blumen das Ähnlichste,
und Du kennst sie,
Du fragst

von ihnen aus nach dem Fragen,
sagst: es wisse, der gefragt hat,
der Getrennte, nichts mehr
von nichts,
geschweige vom Nichts.

Jedes Wort wirkt hier wie abgerungen, und ist es das nicht? Wem aber, sich selbst, der eigenen verführerisch winkenden Sprachlosigkeit? Vielleicht kann Ernst Meister zurückgehen in seine genauen Erinnerungen. Vielleicht ist diese Hoffnung nur naiv. Ich blättere aber zurück zu Seite 22 im ‹Zeitspalt› und lese ein knappes, einsilbiges Gedicht, eine lebenswarme Stimme, die aus der tollen Todesnähe kommt, ohne Zweifel ein Liebesgedicht, erfüllt von Schrecken, aber ein Liebesgedicht:

> Eine Mahlzeit
> war essend; es lagen
> Sonne und Mond
> in der Schüssel.
>
> Du
> mir entgegen im Scheine.
> Staub
> umschwebte uns zärtlich.

# III. Reden

# Endspiel zu Lebzeiten
## Rede für Ernst Meister
## zum Petrarca-Preis
## 1976

Anfang der sechziger Jahre habe ich von Ernst Meister etwas über die Genauigkeit und die Unsicherheit der Sprache gelernt, und, was noch wichtiger war, er hat mir damals klargemacht, daß die Poesie mit meinem Leben zu tun hat und nicht etwa ein entlegener Bereich für irgendeine scheinhafte Kreativität ist.

Es kann mir kaum gelingen, die Wirkungen zu beschreiben, die von Ernst Meisters Gedichten ausgehen, geschweige denn die Gedichte selber. Sie setzen oft erst da an, wo das öffentliche Leben und die öffentliche Sprache bereits aufhören; sie haben kaum etwas zu tun mit den täglichen Signalfunktionen der gesellschaftlichen Sprache, vielmehr sind sie herausgenommen aus dem großen Bereich der Sprachanwendung und sind meditativ im Prinzip. Vielleicht hat ihm das gelegentlich den Vorwurf und das Etikett «Hermetismus» eingetragen. Solch einen Vorwurf hat selbst der Kulturbetrieb schnell bei der Hand, weil es ja für ausgemacht gilt, daß schon die Fragen nach dem Wie und Warum unserer Anwesenheit auf der Erde Merkmale für Flucht aus der Wirklichkeit sind. Gut, Hermetismus – ich finde diesen Hermetismus wirklich gut, bin froh, daß es ihn gibt, denn er schließt ja Fragen ein, Gedanken, Bilder, Poeme, wie sie früher einmal zur komplexen Menschwerdung gehörten.

Ernst Meisters Gedichte handeln vom Unermeßlichen. Man kann das auch konkret fassen in dem Begriff Universum, und innerhalb dieses Begriffs, wie eng oder unermeßlich wir ihn auch fassen, fühlen und wissen wir unsere Leben schließlich auch ablaufen. Das ist kein Affront gegen das Detail, gegen die Reißzwecke oder die

Perlonmasche, vielmehr eine konkrete Erinnerung an
«Alles», das sich im Augenblick unseres Todes in ein
Nichts auflöst, dem alle Worte fehlen, nicht einmal
fehlen.

Das sind wir ja auch. Wir bestehen auch aus diesen Fragen, Empfindungen und Gedanken, wenn wir uns nur
erinnern. So gut Fragen sein mögen wie «was machst du
heute abend?», so gut sind auch andere Fragen, wie Ernst
Meister sie in seinen Gedichten stellt. Und so gut sind
auch die Schrecken, die einem seine Bilder einjagen, denn
in diesen Schrecken erfährt man, daß man verloren, aber
nicht allein ist, daß es zwischen uns eine Verständigung
geben kann, die das Wie und Warum unserer Anwesenheit auf der Erde betrifft, obgleich nicht löst, die ich
wirklich einmal «menschlich» nennen möchte und mit
der verglichen der Verständigungswahn in unserer Öffentlichkeit ein tautologischer Hohn ist, nämlich nichts
weiter als Einverständnis und Übereinkunft mit dem So-
sein der Welt.

Hier, in den Gedichten Ernst Meisters, wird nämlich der
Gedanke lebendig; er betrifft uns, weil er zu einem Gefühl wird und tatsächlich vom Körper erfahren werden
kann. Ein Gedicht ist geschrieben und ist fortan da, so
sehr, wie es vorher nicht da war, und es behauptet sich
gegen ein Alles und ein Nichts. Und wenn es vom Tod
ahnt und weiß und erzählt, dann vom Tod bei lebendigem Leib, vom Tod, meine ich, wie er – unsere äußerste
Fähigkeit – lebendig antizipiert werden kann. Wer aber
macht das? Ich sage, der Poet, nur noch der Poet, obwohl es jedermanns Sache auch sein sollte.

Warum und wozu etwas da ist und weitergeht, irgendwann wird man solcher Fragen überdrüssig. Von der
Realität wird nicht gefordert, daß sie sich erklärt, aber
von der Erklärung der Welt, der poetischen Erklärung,
wird gefordert, daß sie sich erklärt.

Da ist einer, der lebt und eine Poesie schreibt, einen erregten und gelassenen Monolog, der auch ein Dialog ist
mit seinesgleichen, mit unseresgleichen, ohne je mundge-

recht zu sein. Das menschliche Bewußtsein erfindet sich immer neue, breitere Skalen, immer neue Daseinsversicherungen, die die Verluste immer dürftiger abdecken. Dagegen ist das Wissen über unser Dasein, die poetische Erkenntnis, verschwindend. In einem Gedicht sagt Ernst Meister, daß der Tod, einbezogen in die poetische Meditation, den Verstand macht und die Zeile, den Vers, ich zitiere wörtlich, «so daß / Lebendiges sich sieht / im Gehn».

Ich lese ein anderes Gedicht vor: *«Tod: wie er sei. / Hohl, höhlenhohl / wär schon ein Bild / von Haus aus des Lebens. // Dies und / sein Ende / vermocht von den Menschen. // Das Gras hat es leichter. / Wir sind nicht wie Gras.»*

Ein anderes Gedicht, ein deprimierender, aber auch ganz froher Sinnspruch, in dem ich mich gleichzeitig gefangen und geborgen fühle: *«Er will sich / im Toten / das Nichts verschweigen. / So ist es / ganz / wirklich.»*

Nein, das Denken bis an den Rand des Todes, das Denken über den Tod hinaus ist nicht Resignation, es ist etwas ganz anderes, Unermeßliches, eine irgendwie auch heitere Wißbegier, die sich zusieht, wie sie selbst verschwindet. Ein Spiel auch, mit dem Ende, bitte sehr, zu Lebzeiten.

Es wäre viel mehr zu sagen über Ernst Meisters Poesie, und vieles muß dem, der sie liest, nicht mehr gesagt werden; wir könnten danach, nach dem Lesen, uns mehr verstanden haben und ruhig sein, ruhiger.

Jedenfalls, das ist der Satz zum Schluß, wenn einer, Ernst Meister, in seinem Leben in der Sprache eine Sprache findet, dann ist es zu einem Teil sein eigenes Verdienst, und ich finde, er soll dafür gepriesen werden.

# Antrittsrede
## vor der Akademie der Wissenschaften und der Literatur Mainz

Seit einigen Jahren weiß ich, daß ich ein Schriftsteller bin. Ich hoffe, daß dieses grobe Selbstverständnis niemals zu einer Selbstverständlichkeit wird, daß ich mich also niemals zu Ende definieren kann und niemals aufhöre, mir selber ein Geheimnis, eine immer wieder zu öffnende Botschaft zu sein. Ich hoffe auch, daß ich niemals etwas Nützliches schreibe im Sinne einer Dienstleistung oder eines ökonomischen Fortschritts, daß aber alles seine eigene Notwendigkeit hat wie das Atmen und die Empfindung des eigenen Körpers. Warum ich schreibe? Ich weiß es nicht genau zu sagen. Alle meine Begründungen, auch die, die Sie noch von mir hören werden, haben den Charakter der Rechtfertigung und der nachträglichen Sinngebung. Man muß, glaube ich, verrückt sein in der Wortbedeutung, querliegen also in der Gesellschaft, Bedeutungen einstürzen lassen, damit Erfahrungen wieder möglich werden. Vielleicht – und damit spreche ich eine Befürchtung aus – kann die Literatur künftig nur noch an Erfahrungen und Gefühle erinnern, die es nicht mehr gibt, vielleicht nur noch an einen erregten Körper erinnern, den es nicht mehr gibt. Vielleicht werden wir nur noch Reproduktionen von uns selber sein, unser Leben als fertiges Programm ‹ableben› dürfen. Vielleicht aber – und auch diese Möglichkeit existiert – wird es immer noch Wahrnehmung und Bewegung geben, einen Rest, der nicht systematisiert werden kann, und damit auch einen Rest an Leiden und Empörung. Selbstverständlich bin ich Mitglied der Gesellschaft. Auch *meine* aufdringlichsten Bedürfnisse richten sich nach dem Angebot. Ich zahle Steuern, fahre mit der U-Bahn, mit dem Fahrrad, bin mir klar über etwas, unklar über vieles, streichle meine Kinder, habe Angst vor dem Totsein und liefere Daten für Statistiken. Ich ziehe meinen Nutzen aus technischen Systemen. Ich erleide Krankheiten und Umgangssprachen. Ich erfahre Realität als Fülle, aber mehr noch als Hülle. Nur habe ich angefangen, auch noch ein anderes Leben zu führen, meinen Imaginationen zu vertrauen und zu folgen, mich zu fragen, wie etwas wäre, wenn es anders wäre. Seitdem erst sehe ich genau – das, was nicht anders, sondern *so* ist. Ich habe mich gefragt, ob unser Körper nicht viel mehr weiß, als wir ihm durchgehen lassen. Dem Schreiben habe ich mich hingegeben, als ich bemerkte, daß ich dabei mehr wußte und erlebte als sonst. Bilder, Erscheinungen, die früher nur das Kurzzeitgedächtnis berührt hatten, wurden erst beim Schreiben wahr, Wahrnehmungen. Dazu war es notwendig, mich weitgehend den gesellschaftlichen Imperativen und Verhaltensrastern zu entziehen, d. h. mich in diesem Sinne asozial zu verhalten. Ich sah mir gute Bekannte so lange und so genau an, bis sie nicht mehr meine guten Bekannten waren. Das aber, ohne meine ängstliche Freundlichkeit, meine Verbindlichkeit aufzugeben. Denn ich wollte mich ja immer in Zusammenhängen sehen, in Übereinkünften, in denen man nicht blind zum Opfer wird, sondern schmerzhaft und anstrengend zu seiner Identität kommt. Nun ist aber ‹Identität› wenn schon kein Bildungsziel, so doch ein Ausbildungsziel geworden, das hieße zum Beispiel auf mich bezogen: Ich bin das, was ich kann und tue, was ich also gelernt habe, ich bin das, was ich dem Bestehenden hinzufüge. Meine Verstellungen und Verkleidungen interessieren die Gesellschaft erst dann, wenn sie zu Störungsquellen oder Profitquellen werden. Die Gesellschaft, effizient, kann nicht berücksichtigen, daß mich diese Identität stört, daß ich mich verstellen und verkleiden, durch viele Personen und Eigenschaften gehen muß, um mir nicht immer nur ähnlich zu sein, identisch, so daß die Gesellschaft sagt: er macht das, er ist das und das, und alles andere ist er nicht. Ich bin aber an meinem Flackern interessiert; ich will nicht einfach zu haben sein wie ein Angebot für den Feierabend. Ich will gern treu sein, aber doch nicht immer mir selber. Wenn Leute meinen persönlichen, meinen klaren hellen Ausdruck loben, reagiere ich mit mehr Dunkelheit. Ich weiß, schön ist das nicht, aber es ist wenigstens nicht immer bloß identisch, nicht immer bloß das, wofür ich bekannt bin. Warum sollte ich mich nicht in Widersprüche verwickeln, wo ich doch widersprüchlich bin? Franz Kafka hat sein Schicksal beklagt, weder Frau noch Kinder zu haben, denn nach beidem sehnte er sich und Literatur hielt er für einen grauenhaften Lebensersatz. Dennoch hat er sich eine Familie nie herausgenommen, wohl aber weiter Lebensersatz betrieben. Mir als einem Nachgeborenen erscheint diese Konsequenz logisch, denn ich meine, dieser Lebensersatz, dieses andere Leben, das imaginäre, das das Faktische permanent irritiert und ausfragt, ist notwendiger geworden denn je (ich gebe gern zu, daß die Literatur nicht einmal auf diese Legitimation angewiesen ist), notwendiger geworden erst recht, da Reglement, Kontrolle und Legitimationszwang sogar bis in die fiktive Literatur hineingewuchert sind. Die Literatur soll verpflichtet und domestiziert werden. Die rationale Energie soll sie zwar – insofern sie sich die richtigen Ziele zu eigen macht – behalten dürfen, ihre «irrationale» Energie soll sie aber verlieren müssen, ihren Biß und ihre Gefährlichkeit, ihren ganzen relativierenden und ambivalenten Charakter, der kein Gefühl der Sicherheit verspricht.

Wenn ich mich Ihnen auf diese Weise vorgestellt habe, immer, wie es mir richtig erschien, in der penetranten ersten Person, komme ich mir selbst bereits vor wie eine winzige ohnmächtige Gegenstrategie. Lieber hätte ich über ein richtiges Thema gesprochen, über den von Freund und Feind ruinierten Humanismus zum Beispiel, und darüber, was an seine Stelle treten sollte, damit nicht das an seine Stelle tritt, was vor ihm da war. Das bißchen, was ich Ihnen hier sagen konnte über mein Selbstver-

ständnis und meine Fixierung an das sogenannte Fiktive,
schließt eine Menge Verschweigen ein, das vielleicht,
wenn es ausgesprochen, geschrieben wird, Literatur ist.
Vielen Dank!

# Rede zur Verleihung des
# Bremer Literaturpreises

Sehr geehrte Damen und Herren, ich habe Ihnen nicht viel zu sagen, auszusagen schon gar nichts; ich habe weder zu warnen noch zu mahnen, denn ich bin nicht, weil Schriftsteller, auch ein Moralist. Sie geben mir, neben Herrn Kipphardt, einen Preis in Geldform; das kann ich auch beim besten Willen nicht kritisieren. Das Thema meines Romans ist, verkürzt gesagt, die Vernichtung der Geschichte unter besonderer Berücksichtigung der Geschichte einzelner.

Und die Menschheitsgeschichte ist, wie der in ihr wirkende Wahnsinn, wie die in ihr wirkende Vernunft in ein unwiderrufliches Stadium getreten. Als Ziel dieser Geschichte erscheint immer deutlicher ihre Vernichtung. Ein öffentlicher Wahnsinn, der sich heute in ihr manifestiert, trifft irreparable Entscheidungen. Und auch die Menge derer, denen die Geschichte angerichtet wird, zeigt nur noch geringe Reflexe, so daß einem der ganze ablaufende Prozeß schon wie höhere Fügung oder wenigstens doch wie genetisch vorprogrammiert erscheinen kann.

Unsere Sinne und unser Bewußtsein sind schon weitgehend anästhesiert; die Sprache legt dafür Zeugnis ab: in Begriffen wie Lebensqualität und Umweltfreundlichkeit drückt sich die Verödung der Empfindungs- und der Wahrnehmungsfähigkeit aus. Was wir noch erleben, unsere äußere Wirklichkeit besteht zu 80 Prozent aus Synthetics, der Rest ist reine Wolle. Einen winzigen Teil der Wasservorräte der Erde nennen wir «Trinkwasser». Es ist nicht mehr schwierig sich vorzustellen, daß in nicht allzu ferner Zeit eine bestimmte Luftsorte als «Atemluft» rationiert werden muß. Wörter wie «Natur» und «Landschaft» bezeichnen ein immer blasser werdendes Phantom der Erinnerung. Bald werden solche Reservate sich nicht einmal mehr zum Hinfahren eignen; sie werden zu klein für alle, da ist es rationeller, sie abzufilmen und zu senden.

Zukunft, das ist nicht länger das Leben und die Geschichte unserer Nachkommen, sondern der Gegenstand mittel- und langfristiger Zuwachsplanung. Jedes Leben ist eingeplant in das große Wahnsinnsgeschäft mit dem Wachstum. Auch wenn bald nichts mehr wächst außer dem Wachstum selber, ist da an Besinnung nicht zu denken.

Meine Damen und Herren, wir müssen nicht nur ärmer werden, wir müssen ärmer werden wollen. Die Not muß auch umverteilt werden, damit jeder wieder weiß, was Notwendigkeit ist, denn jeglicher Sinn, den wir unserem Leben geben können, kommt aus der Erfahrung der Not, aus einer Entbehrung, die unsere Wünsche und Sehnsüchte mobilisiert, ohne die wir nichtswürdige, zufällige, arme Kreaturen sind. Sieht es denn nicht so aus, als müßten unsere Kinder bald ein Leben führen, das keine Erinnerung mehr an Leben enthält, an Geschichte, ein Leben, wenn überhaupt, dann eines ohne Not und ohne Notwendigkeit.

In diesen Jahren erleben wir gebannt die unglaublichste und wahnwitzigste Erektion am Glied unserer deutschen Wirtschaftspotenz. Unter Beihilfe zahlreicher gewählter Volksvertreter wird ein Energieprogramm verwirklicht, das zumindest unseren Teil des Planeten zu einer Zeitbombe werden läßt. Eine solche Praxis nenne ich kriminell und extremistisch, ganz gleichgültig, ob diese Zeitbombe gezündet wird oder nicht. Und ausgerechnet diese Herren fordern, wenn ihre Projekte auf Widerstand stoßen, Vernunft und Versachlichung der Debatte. Da gibt es kein Anhalten mehr, ihre Versachlichung setzt sich durch, ihre gekauften Experten und Expertisen setzen sich durch.

Endlich kriegen wir auch die Zukunft in die Hand, das Ende aller Zukunft wird absehbar und damit sicherer gemacht. Und selbstverständlich wollen wir nicht allein *unser* Leben und das *unserer* Nachkommen für die weitere Erhöhung des Lebensstandards hingeben. Auch andere Länder sollen zu Ende entwickelt werden: Was bei uns «Know-how» in aller Unschuld heißt, verwandelt sich auf Exportwegen nach Brasilien oder Persien in Plutonium. Und schon sind auch «befreundete Nationen» in der Lage, das Machbare endlich zu machen.

Vorstellbar wäre, daß einmal unsere Vernichtungsprofiteure vor eine Art Nürnberger Tribunal gestellt würden, wo sie wiederum beteuern könnten, Risiken nicht erkannt, von allem nichts gewußt zu haben.

Auf diesem Wege, und das ist sicherer als der große «Gau», werden die Menschengesichter zu Fratzen und Irrtümern. Mit den hochradioaktiven Brennstäben aus den Zentren unserer Kraft und Herrlichkeit werden wir auch unsere Freiheit in die Erde senken. Wir selbst werden zu einem untragbaren Sicherheitsrisiko, das bewacht und total reglementiert werden muß. Unsere Ruhe und unsere Unruhe werden wir verbergen müssen, jedes Zukken der Hand und des Auges. Jede Bewegung wird eine verräterische Bewegung sein, jedes Vertrauen ein trügerisches, jede Liebe eine unmögliche. Wir werden uns solche wie uns nicht mehr leisten können und solche wie andere schon gar nicht.

Das Buch, das Sie hier mitpreisen, handelt, obwohl es von der Unmöglichkeit einer wahren Liebesgeschichte erzählt, immer noch von der Liebe. Wenigstens für den Zweifel an der Unmöglichkeit einer wahren Geschichte der Liebe müssen wir kämpfen.

Es ist nicht mehr der einfache Tod, der natürliche und himmelschreiend gerechte, den wir zu fürchten haben; vielmehr ist es das Ende von allem, von allem, was wir je waren und je hätten werden und sein können.

Meine Klage ist emotional, und ich habe aufgehört, mich deshalb für inkompetent zu halten. Ich habe genug gesehen, gehört und gelesen, auch von sogenannten Experten. Ich weigere mich, mich Tag für Tag aufs neue, wie es heißt, »sachkundig zu machen«.

Das war, sehr verehrte Damen und Herren, etwas von dem wenigen, das ich Ihnen sagen kann. Ich danke Ihnen, daß Sie mir dazu Gelegenheit gegeben haben, ich danke der Jury und ich danke der Stadt und dem Land Bremen, insbesondere der Rudolf-Alexander-Schröder-Stiftung, für das Geld.

# Wider eine Zukunft der Selbstvergessenheit
## Rede zur Verleihung des Stadtschreiberamtes von Bergen-Enkheim

Sehr geehrte Damen und Herren,
ich kann hier nicht, indem ich mich Ihnen vorstelle, über menschliche Freiheit sprechen, nicht darüber, ob es so etwas wie die Verantwortung des Schriftstellers überhaupt geben kann und erst recht nicht über das Amt des Stadtschreibers und um welche neuen oder gar originellen Facetten ich es bereichern könnte. Ich danke aber der Jury für den mir zuerkannten Literaturpreis und meinen Vorgängern, daß sie ihm zu einer kurzen, noblen Tradition verholfen haben.

Die Posen, mit denen Autoren sich oft für einen Preis bedanken, sind mir geläufig, und also kommt es mir nicht an auf eine neue Pose, weder der Freundlichkeit noch des Ärgernisgebens. Ich will nur die Gelegenheit benutzen, etwas lauter und zorniger zu denken, als es mir eigentlich zukäme, d. h. in einem Zustand wachsender Inkompetenz des einzelnen den Anspruch auf Kompetenz anmelden.

Unter Freunden haben wir oft in den letzten Jahren darüber diskutiert, was denn eigentlich die Grundierung aller Themen eines Schriftstellers in der Bundesrepublik sein solle. Sollen es nicht sein das Leben, das Wirken, das Verhalten und das Bewußtsein von Menschen in der Bundesrepublik? Da aber schon fingen die Auseinandersetzungen an. In welchem Zustand befinden wir uns denn heute in der Bundesrepublik, jeder für sich und alle zusammen? In welchem Zustand haben wir uns über dreißig Jahre lang befunden, und davor? Gibt es nicht für den Grad von Verödung nur *eine* Metapher, die längst wirklich geworden ist, *die betonierte Erde*, die durch Fahrlässigkeit oder Nutznießerei unserer Mandatsträger begünstigte totale Industrialisierung: (eine verspätete Testamentsvollstreckung der Idee der «verbrannten Erde»?) Ist da nicht die Liebe schon ausgetrieben im Planquadrat? Ist da nicht dieses bloße Dasein, ein Rausch der Bedürfnisse und ihrer Befriedigung, unlebbar geworden, ohne Sein?

Und der Fall F. – beinahe möchte ich mich entschuldigen für dies gar nicht mehr so aktuelle Beispiel – ist er nicht noch immer auch ein Fall Bundesrepublik? Ist nicht die Meinung dazu eine der salonfähigsten gewesen in den letzten Monaten, nämlich, Gras wäre längst darüber gewachsen, wenn Herr F. nicht ein solch herausragendes Amt innehätte? Also, wenn er nur ich wäre oder du, gingen dann die «Fehler» von damals in Ordnung? Und wären sie sowieso in Ordnung gegangen, hätte er sich nicht unwürdig herumgeschwindelt um Tatsachen? Und ist etwa die Unrechtsprechung von damals nicht noch massiv anwesend in heutigem Geist und Gefühl, nicht für manchen noch und wieder eine machbare Selbstverständlichkeit? Wie sonst hätte man es sich zu erklären, daß die Partei von Herrn F. ihn erst aus dem Amt fallen ließ, als es ihr schwerfiel?

Soll also, darum ging der Streit unter Freunden, jede Wirklichkeit gerade gut genug sein, ihren Sinn zu suchen, in mühseliger, also auch schriftstellerischer Arbeit? Verlegen um den Sinn der Wirklichkeit sind ja vor allem ihre Verwalter. Verlegen darum sind aber auch wir alle. Es muß ja kein Jenseits mehr sein, keine Transzendenz. Ein Glaube an die eigene Notwendigkeit würde ausreichen, ein Bild von unserem notwendigen Leben, doch wie sehr ist auch dieser Glaube schon entschwunden. Wir leben schon nach dem Muster des Lebensangebots, leben ein Lochkartenprogramm ab, hart unter den Zwang der Sache gestellt. Was ist Sache?

Oder soll – der Streit geht weiter – ein Sinn geradezu gestiftet werden, ein Sinn in der Literatur, wie wir ihn vergeblich in unserem Dasein wiederzufinden suchen?

Alle Zeiten waren, abgesehen davon, daß sie «doch schön» waren, die schlechtesten. Eine sehr schöne schlechteste Zeit haben wir, glaube ich, hinter uns, in der wir gleichsam erinnerungslos lebten und aus der jeweils gegenwärtigen Fülle schöpften, und wo da eine Leere war, verwandelten wir sie mit Fleiß in eine Fülle. Wir lebten erinnerungslos, in brüderlicher Vergeßlichkeit, und auch unsere Nachbarn in der Welt wagten es bald nicht mehr, uns zu erinnern, denn im Vergessen waren wir mächtig geworden. Daraus zogen wir den Schluß, beliebt zu sein in der Welt. Viele glaubten das noch, und dieser Glaube macht sie um so stärker. Plötzlich und immer wieder: ein Schmutzfleck in schneeweißer Vergeßlichkeit, der irgendwie unter größerem Aufwand, härter vergessen werden muß, weil er Erinnerung bedeutet, auch daran, warum die Entscheidung nach dem Krieg so leicht fiel und so unbürokratisch rasch abgewickelt werden konnte, weil nämlich eine Menge Deutscher es eilig hatte, sich gegenseitig die Schuld zu tilgen oder gar sie umzubenennen in Guthaben.

Nur in einer solchen Vergeßlichkeit könnten Land und Leute noch einmal überrollt werden, denn vor lauter Vergessen hat ja kaum jemand etwas lernen können aus der Geschichte.

Dies alles ist so wenig neu wie mein nächstes Beispiel, fast bin ich wieder versucht, mich zu entschuldigen, denn wenigstens neu sollte alles doch sein, was einem jemand sagen will. Das nächste Beispiel für unseren Zustand in der Bundesrepublik ist unsere «Innere Sicherheit», die aufgebaut worden ist zu einem menschenfressenden Apparat. Die mögliche Tat gegen das Gesetz – nur die sollte unter allen Umständen strafwürdig sein – wird bereits in der Gesinnung als Konzept ausgemacht und antikonzeptionell behandelt, d. h. unerwünschte Gedanken werden abgetrieben, ihre Denker gleich mit. Wir kennen alle wenigstens die absurdesten Fälle, die allerdings mit Hexenjagd und Inquisition vergleichbar sind. Das ist eben auch ein Beispiel jener Stärke, die auf Vergeßlichkeit beruht.

Nun hab ich nichts gegen Stärke prinzipiell, denn sie ist immer noch das Gegenteil von Schwäche, doch wenn staatliche Organe die Stärke nur zur Produktion von vermeintlicher Sicherheit bemühen, dann geraten sie ins grenzenlose Definieren, und jede Lobby definiert am Ende mit.

Es gibt ja starke Interessen und Absichten, die ganz anders wirtschaften könnten, wenn es – wieder beispielsweise – keinen Widerstand mehr gäbe gegen den, wie es heißt, zügigen Ausbau der Atomindustrie, die wiederum eine Metapher sein könnte, nicht ist, für das Nichtsein, für das Vergessen, für die Vernichtung von Leben. Dafür, für deren zügigen Ausbau, hat sogar eine Gewerkschaft, die doch die Interessen *menschlicher* Arbeitskraft vertritt, ihre Stimme hergegeben. Wissen diese Sprecher nicht, daß ihre Mitglieder stillgelegt werden, wenn diese nukleare Arbeitskraft nicht stillgelegt wird? Sie wissen ja offensichtlich auch nicht, welche Art von Solidarität es ist, wenn ihre Gewerkschaften es zusammen mit der Regierung erlauben, daß Militärregimes und feudalen Folterherren U-Boote und atomare Grundausstattungen geliefert werden, alles zuliebe der Vollbeschäftigung, der man dadurch doch nicht näherkommt. Also, kann man daraus nur schließen, unterliegen Investitionen und Exporte keinem Kriterium mehr, dem der Vollbeschäftigung auch nicht.

Aber wir, wir werden dem Kriterium des reibungslosen Ablaufs solcher Geschäfte unterliegen, wenn wir dagegen nichts tun. Wir sind bereits durchleuchtet und gespeichert. Das prophetisch-prophylaktische Verbrecherprofil eines jeden ist abrufbar. Der Computer kennt unsere Daten besser als wir selber. Die Verwirrung und die kollektive Paranoia werden größer. Schon fragen wir uns nicht etwa, wer uns vor Datenbänken und ihren Benutzern schützt, sondern, wer schützt mich vor meinen unglückseligen Daten?

Ich frage mich und Sie, wo ist der Sinn dieses Ganzen? Erkennen wir ihn nur nicht, weil wir noch nicht hinreichend aufgeklärt sind? An frohgemuten Zurechtweisungen fehlt es nirgends: Ja, wir leben eben vom Know-how; was soll die Schwarzseherei; die Zeiten waren immer schlecht; es gibt im menschlichen Leben keine hundertprozentige Sicherheit; der menschliche Geist ist noch mit allem fertig geworden. Allerdings, und diesmal besteht die Chance, daß er ein für allemal auch mit sich selber fertig wird.

Dieser barbarische, vom Staat geförderte und mit allerlei kosmetischen Slogans aufgedonnerte Zuwachsmoloch ist lebensgefährlich, er «dreht uns um». Die schrankenlose Automatisierung der Produktion beraubt den einzelnen seiner Notwendigkeit und damit seines Sinns.

Eine gewisse Reibungslosigkeit im Lauf der Massenmaschine mögen uns solche Entwicklungen für eine Weile garantieren, aber sind wir auf der Erde, damit die Maschine läuft? Haben wir Leibeskräfte, damit sie alle ununterscheidbar und unauffindbar in der Maschine aufgehen?

Wen oder was greife ich eigentlich an? Sicher nichts, an dem ich nicht wie jeder andere beteiligt wäre. Doch wir sind nicht gleich, und unsere Interessen und Prioritäten sind nicht die gleichen. So mache ich zuallererst den größten Fehler, anzugreifen den Staat, den Ungreifbaren, in dem, einem Körper mit Tarnkappe, Legitimationen und Kompetenzen hüpfen und sich vertauschen. Gewiß gibt es personalisierte Skandale – da wird uns jemand vorgeworfen zur Wiederherstellung der Vergeßlichkeit und einer friedfertigen Genugtuung.

Was ist das für eine noch weithin unakzeptierte Ahnung vom näherrückenden Ziel der Geschichte? Wieso schnellen die Selbstmordquoten von Kindern und Jugendlichen so in die Höhe? Wieso springen sie zahllos in Drogenräusche – der Markt bietet ja alles – ? Wieso verdoppelt sich alle soundsoviel Jahre der Lernstoff an den Schulen, ohne daß hinterher wirklich viele etwas wissen außer einem speziellen Know-how? Wieso wird der Raum des öffentlichen Räsonnements immer keimfreier und schallschluckender?

Man könnte einen endlosen Katalog unserer inneren Schwäche aufstellen. Eine eindimensionale Definition des Menschen, die sein Lebensbild wie sein Berufsbild umfaßt, ist über uns gekommen. Funktion ist er, Erbringer vorberechneter Leistung, Vertilger reproduzierbarer Waren, Wählerstimme, was noch?

Viele werden damit fertig, vor allem wir, die es erst im Erwachsenenalter erwischt hat; wir können kompensieren und uns je nachdem einen überkommenen Sinn bewahren, z. B. auch ein Refugium für so etwas wie Philosophie oder Kunst oder Literatur. Ich bin dankbar dafür, daß für mich die eine Wirklichkeit nicht die Wirklichkeit schlechthin ist, an der man nur zerschellen kann. Doch Kinder und Jugendliche krümmen sich in dieser Perspektivelosigkeit, unter diesem Verdikt, was angeblich ihr Wesen sei: ihr Bausparertraum, ihre zufriedene Agonie. Sie krümmen sich in dem Bewußtsein, es ginge ihnen besser denn je zuvor. Es geht ihnen schlecht, soviel weiß ich. Wenn sie ihre Sinne benutzen, ihren Verstand, ihre ganze Kraft, wenn sie anfangen zu leben, geht es ihnen schlecht. Nur denen geht es besser, die sich dem Vergessen angeschlossen haben, die Augen zuversichtlich gerichtet in die Zukunft der Selbstvergessenheit.

Diese schlechte Bürgeridentität, die als gesellschaftliches Angebot jedem Heranwachsenden winkt, sollten wir nicht mehr wollen. Diese Effizienzspritze ist vergiftet. Diese angeblichen Bürgerdialoge, diese Fitneßkampagnen sind manipuliert. Und den Sinn dieses Ganzen, der auch von Schriftstellern erwartet wird, so als wäre er sowieso das selbstverständliche Produkt ihrer Tätigkeit, sollten die Schriftsteller verweigern, um so entschiedener, da er ohnehin nur ein Un-Sinn wäre.

Sehr geehrte Damen und Herren, meine einzige Hoffnung ist es, nicht recht zu behalten, mein Wunsch, das Maul zu halten und Geschichten und Gedichte zu schreiben, und so kann niemand sagen, ich sei hoffnungslos oder wunschlos.

# Enkheimer Reden

## Auf Urs Widmer

Als mich der Kulturausschuß gebeten hat, einen Schriftsteller, es dürfe auch eine Dame sein, für eine Lesung in Bergen-Enkheim vorzuschlagen, reagierte ich blitzschnell und nannte den Namen des in Frankfurt lebenden Schweizer Autors Urs Widmer: Urs Widmer. Es gab dafür eine Reihe von Gründen, erstens liebe ich ihn als einen Freund, der wie ich sein Leben hauptsächlich damit verbringt, sich über Papier zu beugen, das entweder bedruckt ist (dann lesen wir gerade die Werke verstorbener Kollegen) oder leer und weiß ist (dann schreiben wir gerade unsere besten Sachen).

Obwohl wir also die gleiche Tätigkeit ausüben, tun wir dies jedoch auf geradezu halsstarrige, uns gegenseitig ignorierende Weise. Ich will damit (ganz im Stile seiner Dichterporträts) sagen, daß ich bis heute seinen Büchern nicht anmerke, daß er die meinen mit Gewinn gelesen hat.

Selbstverständlich beneide ich ihn um seinen Humor, den er nicht, wie ich es meist tue, verleugnet. Wenn ich seine seltsamen, mit allen Naivitäten, Trivialitäten und allen Vertracktheiten der Grammatik gespickten Geschichten lese, komme ich mir in meiner Ernsthaftigkeit beinahe verlogen vor. Die Wahrheit ist aber, Urs, wenn mir wirklich etwas Komisches einfällt, bemerkt es kein Mensch. Ich glaube aber, daß Urs Widmers Humor nicht ein vorsätzlicher, mit allen Mitteln zum Lachen überredender Humor ist, vielmehr ein staunender, ja, was da beim Schreiben so herauskommt, wenn er, beinahe unschuldig, die Tücke der Objekte und die Tücke der Sprache ineinanderfahren läßt.

Ich habe vorhin *erstens* gesagt, also muß ich mindestens noch *zweitens* sagen. Zweitens wohnt Urs Widmer in Frankfurt, so daß praktisch keine Reisekosten anfallen für den Kulturausschuß. Und drittens, Urs Widmer ist, obgleich ein Schweizer, ein Utopiker, was soviel heißt, daß er der Phantasie ihr Lebensrecht läßt. Vielleicht ist er, weil Schweizer, ein Utopiker aus besonders realistischer Einschätzung heraus. Utopiker sind gefährlich für die Gesellschaft, weil sie immerfort umhergehen, hinsehen noch und noch und auch gar nicht richtig sagen können, was sie bedrückt. Plötzlich dreht der Utopiker sich um und sagt es einem ins Gesicht. Er setzt sich an den Schreibtisch und arbeitet an Gegenentwürfen. Er ist also gefährlich, weil er sich alles und jedes besser vorstellen kann als es ist. Ich liebe Menschen, die für die Gesellschaft gefährlich sind, sie halten den Kreislauf in Schwung. Nicht wie jener Mann, der neulich mich anstelle meiner Frau für den Arzt hielt und sagte: Herr Dr., ich hab solchen Kreislauf.

Andererseits werden Utopiker auch überschätzt als Gefahr, denn sie hegen eine heimliche Liebe für alles was real oder wenigstens realistisch ist; zu genau wissen sie, daß es sonst auch keine Gegenentwürfe gäbe.

Viertens finde ich es gut, daß die Sprache, daß die Literatur einen solchen Unterschied, wie er zwischen uns besteht, mühelos verkraftet, auch noch ganz andere Unterschiede, die allesamt die Literatur geschmeidig und lebendig erhalten. Ob wir solche Unterschiede auch jederzeit verkraften, ist eine andere Frage und im Grunde auch nicht so wichtig. Wir sind beide schon über Vierzig, und irgendwann, wenn man noch älter wird, macht einem die ganze Toleranz keinen Spaß mehr und der Blutdruck braucht den Streit. Bis dahin aber, Urs, ewige Freundschaft und vom Humor etwas eingeschüchterte scheue, aber ehrliche Bewunderung, Dein

# Auf Sarah Kirsch

Liebe Sarah Kirsch, sehr geehrte Damen und Herren,
obgleich ich selber Gast in Bergen-Enkheim, fühle ich
mich heute abend doch als Mit-Gastgeber. Das gibt mir
die Gelegenheit, Sarah, dich einmal *offiziell* zu begrüßen.
Das darf auch nur höchstens einmal passieren.

Sarah Kirsch vorzustellen, das ist ein Auftrag, den ich
sehr gern angenommen habe, obwohl ich damit eigentlich Eulen nach Athen trage, denn Sarah Kirsch ist heute
die einzige populäre Lyrikerin deutscher Sprache, populär, wie es in den letzten Jahrzehnten nur Ingeborg Bach-
mann war, d. h. sie findet eine vergleichsweise große Resonanz, nicht erst seit ihrem Umzug von Ost- nach
Westberlin.

Ich will nun nicht biografische Daten beifügen, die überall nachzulesen sind; manches Blatt hat sie genüßlich in
ihrem Schlund zergehen lassen. Lieber will ich ein paar
Sätze sagen über ihre Gedichte, die gar nicht populär genug sein können. In ihnen ist die Vielfältigkeit und Viel-
deutigkeit menschlichen Lebens aufbewahrt, kleine zarte
Reserveenergien gegen jene anderen ungleich größeren
Energien, die danach trachten, mit dem Menschen fertig
zu werden, ihn zu Ende definieren, die ihm zur letzten
Eindeutigkeit verhelfen wollen, damit er abgehakt werden kann, berechenbar wird.

Zunächst einmal sind die Gedichte einfach schön, von
großer entschiedener Schönheit, die manch einen Zeitgenossen, der sie unmittelbar mit unserer Realität vergleicht, als ärgerlich erscheinen mag. Liegt das aber etwa
an den Gedichten, die doch nur etwas aufbewahren, das
unser Ureigenstes ist, nämlich Kindheitserinnerungen,
eine beinahe kreatürlich empfundene Nähe zur Natur,
das Geltenlassen und die Gültigkeit von Gefühlen, von
Traumbildern, Nebengedanken. Das alles wird uns doch,
wird schon unseren Kindern ausgetrieben, weil wir effi-

ziente Wesen sein sollen, nützliche Glieder in der Kette, zuverlässige Hersteller und Verbraucher.

Sarah Kirschs Zartheit ist, wenn man genauer hinschaut, robust und strapazierfähig; ihre Verse sind nicht die eines Heimchens hinterm Herd; sie sind nicht weltfremd, sondern beharren geradezu auf Welt, auf Erde, Wasser, Luft, Feuer, sie sind elementar; sie zeigen uns (glücklicherweise sind diese Groß-Substantive vom Geruch einer Blut- und Boden-Mythologie befreit worden), daß Erde, Wasser, Luft, daß alles, was da kreucht und fleucht, nicht einfach Rohstoff zur industriellen Weiterverarbeitung ist, sondern Erweiterung unseres Körpers, Geistes und unserer Seele.

Sarah Kirschs besondere Beziehung zur Natur bringt nicht Naturlyrik im traditionellen Sinne hervor, sondern eine sowohl erinnerte als auch imaginierte Ganzheit unseres Lebens. Auffällig ist, wie sicher hier ein solch diffuser Gegenstand wie die Liebe zwischen Menschen verschmolzen wird mit dem Blick auf die eigenen Bedingungen, auf die natürlichen Lebensbedingungen überhaupt; eine Einheit entsteht so, die in den Gedichten sich allerdings von Realität irritiert zeigt, die traurig und zuweilen melancholisch ist, auch das darf nicht einfach verdrängt oder mit einer Medizin heruntergespült werden.

Sarah Kirsch verzichtet oft sehr entschieden auf bloße Widerspiegelung von Realität, statt dessen erlangen, wie schon gesagt, jene zentralen menschlichen Bezirke der Erfahrung und Wahrnehmung, die heute an den Rand und über den Rand hinausgedrängt sind, wieder zentrale Bedeutung. Darin, meine ich, liegt noch immer und vielleicht mehr denn je ein Nutzen der Poesie, obwohl es ja bekanntermaßen der Poesie nicht gut bekommt, sie auf ihren Nutzen zu reduzieren. Und deshalb ist Poesie überhaupt, und im besonderen die von Sarah Kirsch, notwendig, und deshalb ist es auch gut, daß jemand, der solche Gedichte schreibt, auch einmal vergleichsweise populär werden kann.

Zwei Gedichte von Sarah Kirsch könnten für das, was ich

vereinfachend gesagt habe, Belege sein. «Im Sommer» und «Feuer»; sie sind schön und nützlich; sie handeln von unserer Welt und von den Plagen, denen sie immer eindeutiger anheimfällt. Und nichts Kampagnehaftes ist an ihnen; es ist die Welt noch nicht auf Umwelt reduziert.

# Rede in Gorleben

Liebe Freunde,
wer uns entsorgen will, den wollen wir stillegen!
Vorläufig sind wir darauf angewiesen, uns unsere Sorgen
nicht nehmen zu lassen. Ein industriell erzeugtes Ver-
nichtungspotential soll unter Acker- und Waldboden
endgelagert werden. Eine Wiederaufbereitungsanlage soll
die Grundlage sein für den Bau zahlreicher weiterer
Atomreaktoren. Kurze und langfristige Risiken für Gesundheit und Leben von Mensch, Tier und Pflanze werden von den Betreibern und ihren politischen und wissenschaftlichen Beihelfern bewußt oder leichtfertig in
Kauf genommen. Der Preis, den wir und unsere Nachkommen dafür zahlen müssen, interessiert sie nicht; sie
interessiert der Strompreis und die Möglichkeit, die Spit-
ze der atomaren Weltmächte zu bilden. Manchmal frage
ich mich, ob sie schon allesamt wahnsinnig geworden
sind. Man sieht und hört sie von den Bildschirmen und
Podien herunterschwärmen. Sie befinden sich offenbar
im nuklearen Fortschrittsrausch.
Wann begreifen all diese Betreiber endlich, daß sie zu einem Sicherheitsrisiko geworden sind? Wann begreifen
sie, daß der wahre Fortschritt heute darin besteht, solch
eine sorglose und gewissenlose Praxis zu stoppen, zu
stoppen, meine Freunde, zu stoppen.
Industrielle Betreiber in Verbindung (um nicht zu sagen
Verfilzung) mit politischen Betreibern – das kann zu einer Kriegserklärung an die eigene Bevölkerung führen.
Etliche gewählte Volksvertreter glauben sich offenbar mit
einem imperativen Mandat ausgestattet, nicht in unserem
Dienst, sondern im Dienst der Betreiber.

Mit welchen Phrasen füttern sie uns denn? Hier ein paar Kostproben, wie sie jeder von uns täglich angewidert wieder ausspuckt, von maßgeblichen Sprechern ihrer Parteien: 1) «Klares Ja zum Ausbau der Atomenergie unter größtmöglicher Berücksichtigung der Sicherheitsinteressen der Bevölkerung», 2) «Die Sicherheit muß gewährleistet sein, aber ohne Kernenergie geht es nicht.» 3) «Gebaut wird nur, wenn alle Sicherheitsauflagen erfüllt werden können, aber gebaut wird.» Es waren nur drei Kostproben, und jeder kann sie, wenn er kann, der richtigen Partei zuordnen. Kann ein Volksvertreter seine Volksverachtung noch deutlicher ausdrücken? Kann ein solcher seine extremistischen Neigungen noch deutlicher zugeben? Und die nennen wir gefährliche Opportunisten!

Welche gesellschaftliche Institution verdient denn noch unser Vertrauen? Die Kirchen? Wohlan, Kirchen, handelt ihr wenigstens eindeutig und gewissenhaft! Die Gewerkschaften? Noch weigere ich mich, die Hoffnung aufzugeben. Obwohl der Vorsitzende der IG Bau Steine Erden vor ein paar Tagen weitere Reaktorbauten *gefordert* hat mit dem Argument der Arbeitsplätze. Und was kommt danach dran? Solch einen Mann nennen wir entweder dumm oder verlogen!

Alle tun nur ihre Pflicht, auch die Rattenfänger der Atomindustrie, die mit teuersten Public Relations-Mitteln ein schnell wirkendes Gift besitzen. Sie versprechen Geld und Arbeitsplätze. Von solchen Arbeitsplätzen hält man sich besser fern, und das Geld schafft ein schwindelndes Bestechungsklima; sie haben es übrig, weil der Staat im Atomfall vom Verursacherprinzip abgegangen ist auf unsere Kosten! Wir dürfen uns unseren Widerstand, auch den emotionalen schon leisten. Unsere Emotionalität ist das Beste, was wir haben gegen schieres Geld- und Machtinteresse. Unsere unglücklichen Gefühle und Ahnungen, unsere Sorge und unsere Angst sind zugleich auch unsere Kraft, und die lassen wir uns nicht versachlichen. Unsere Sorgen, wer macht sie sich sonst? Unsere Freiheit, wer will sie sonst? Den Betreibern liegt der Zuwachs am Herzen, der hemmungslose und gewissenlose Zuwachs ihrer Macht und Dividenden, auch wenn bald nichts mehr wächst außer dem Zuwachs selbst.

Wir brauchen Energie, vor allem unsere eigene Gefühls- und Verstandesenergie, wir brauchen sie für einige Jahre Widerstand gegen die Betreiber und Programmierer und ihre hilfswilligen Lochkartenexistenzen. Einige Jahre, Brüder und Schwestern, und unsere Nachkommen werden es uns 24000 Jahre lang danken, denn so lange mindestens dauert die Wirkung jener Herrschaften mit der ungeheuren Ausstrahlung.

# Rilke

## Todes-Erfahrung

Wir wissen nichts von diesem Hingehn, das
nicht mit uns teilt. Wir haben keinen Grund,
Bewunderung und Liebe oder Haß
dem Tod zu zeigen, den Maskenmund

tragischer Klage wunderlich entstellt.
Noch ist die Welt voll Rollen, die wir spielen.
Solang wir sorgen, ob wir auch gefielen,
spielt auch der Tod, obwohl er nicht gefällt.

Doch als du gingst, da brach in diese Bühne
ein Streifen Wirklichkeit durch jenen Spalt
durch den du hingingst: Grün wirklicher Grüne,
wirklicher Sonnenschein, wirklicher Wald.

Ich mag sehr vieles von Rilke; manches mag ich nicht besonders. Mein Lieblingsgedicht von Rilke habe ich nicht
gefunden; vielleicht hat er es gar nicht geschrieben. Eigentlich wollte ich eines jener bekannteren Gedichte vor-
lesen, «Herbsttag» oder «Der Panther», um zu zeigen,
daß sie ganz zu Unrecht zu dumpfen Ablagerungen der
Deutschstunden und Evergreens in Lesebüchern geworden sind. Aber dann spürte ich ungeheuer genaue Empfindungen, die von dem Gedicht «Todes-Erfahrung» aus-
gingen, Empfindungen, die durch alle seidige Rhetorik
hindurchleuchten.
Eine erfühlte Todeserfahrung, wie sie nur einem Lebenden zuteil werden kann, ist aufgegangen in einem Gebil-

de, das zugleich Faszination und heillosen Schrecken erzeugt. Es ist darin der Tod dargestellt als ein Nichtdarstellbares, eine Leerform oder besser, ein Spalt, durch den Licht auf die Bühne fällt, ein jenseitiges Licht, das unser diesseitiges Erkennen und Wahrnehmen betrifft.

Es geht seit längerem so ein Gemeinplatz um gegen den Tod, das Leben allein sei wichtig usw. Darauf kann man doch nur antworten, daß der Tod ja auch nur uns Lebende betrifft. Unsere Todeserfahrungen, wenn wir überhaupt noch Erfahrungen machen wollen, müssen wir bei lebendigem Leib machen.

Der Schrecken bleibt ja, selbst dann, wenn uns der Tod als die wirkliche Erfahrung eines absurden Augenblicks in unendlichen Zahlenkolonnen bloß noch als normaler Schwund oder Materialverlust erscheint, der uns selbst außerdem solange nicht betrifft, bis er uns selbst betrifft.

Die täglichen massenweisen Menschenopfer, die jährliche anonyme Totenbevölkerung – bei dieser Vorstellung hört ja immer noch aller Gemeinschaftssinn auf; oder ist es ein Trost, daß man ja wahrscheinlich wie seinesgleichen sterben wird, nicht mehr da sein wird wie seinesgleichen.

Auch dieses Rilke-Gedicht enthält keinen Trost gegen den Tod, nur die vorweggenommene Erfahrung, mit den Sinnen gelernt. Der Tod ist darin ganz deutlich eine Sache des Lebens, der große Gegenstand lebendiger Wahrnehmung und lebendiger Erfahrung.

# Editorische Notiz

Den Plan, Aufsätze und Reden zu sammeln, hatte Nicolas Born selbst; konkrete Vorarbeiten dazu konnte es jedoch nicht geben. Der vorliegende Band ist kein Buch aus dem Nachlaß. Er sammelt die veröffentlichten Arbeiten Nicolas Borns. Da es keinen lückenlosen Nachweis der Veröffentlichungen gibt, Nicolas Born im Umgang mit Originalmanuskripten außerdem «großzügig» war, war ich auf Hilfe angewiesen. Irmgard Born war diese Hilfe. Hinzu kam das gute Gedächtnis der Freunde. Herausgeber und Verlag sind dankbar für weitere Hilfe bei der Suche nach Originalmanuskripten, für auch zu diesem Band ergänzende Daten usf. Der nachfolgende Quellennachweis gibt Entstehungsjahr oder Erst*druck* an; Rundfunkveröffentlichungen wurden nicht berücksichtigt.                                            R. H.

# Quellennachweis

*(Autobiographie).* Ohne Jahr;

*Die Welt der Maschine.* «Literaturmagazin 8», Reinbek, 1977.

*Schwache Bilder einer anderen Welt.* «Süddeutsche Zeitung», 27./28. 10. 1973.

*Reisen im inneren Universum.* Ohne Jahr, vermutlich 1972.

*Ist die Literatur auf die Misere abonniert?* 1972.

*«Die Phantasie an die Macht».* «Literaturmagazin 3», Reinbek, 1975.

*Brief an die Arbeitsgemeinschaft Literatur am Weidig-Gymnasium Butzbach.* «Butzbacher Autorenbefragung. Briefe zur Deutschstunde», München, 1973.

*Stilleben einer Horrorwelt.* «Basler National-Zeitung», 17. 5. 1975.

*Sind wir schon Utopia?* 1968.

*Eines ist dieser Staat sicher nicht: Ein Polizeistaat.* ‹Briefe zur Verteidigung der Republik›, Reinbek, 1977.

*Wo mir der Kopf steht.* Nachwort zu ‹Wo mir der Kopf steht›, Gedichte, Köln, 1970.

*Das Auge des Entdeckers.* Nachwort zu ‹Das Auge des Entdeckers›, Gedichte, Reinbek, 1972.

*Die Sprache der Lyrik.* Das Gespräch führte Manfred Voigts am 15. 2. 1979 in Berlin. «Konkursbuch» Nr. 4, 1979; Dr. Manfred Voigts, Germanist, lebt in West-Berlin.

*(Die Brüskierung der Erwartungen).* Nachwort zu einer geplanten Sammlung der bei Kiepenheuer & Witsch erschienenen Gedichtbände von Rolf Dieter Brinkmann. 1978.

*Die Poesie der wirklichen Dinge.* 1968.

*Vita nova mea.* «Der Monat», 1967.

*Schöne Bilder von Zukunft.* 1974.

*Blaue Flecken.* 1974.

*Wünsche, Lügen und Träume.* Nachbemerkung zu Kenneth Koch ‹Vielen Dank›, Gedichte und Spiele. Deutsch von Nicolas Born, Reinbek, 1976.

*(Amerika).* 1974.

*Ich soll den Glasberg besteigen.* 1974.

*Vom nächtlichen Weg zur Bergfahrt.* «Süddeutsche Zeitung», 7. 4. 1976.

*Versuchte Nähe.* «Frankfurter Rundschau», 17. 9. 1977.

*Riß im Rumpf des Fortschritts.* «Der Spiegel», 23. 10. 1978.

*Einübung in das Vermeidbare.* 1978.

*Ich weiß nichts Dunkleres denn das Licht.* 1976.

*Endspiel zu Lebzeiten.* «Die Zeit», 2. 7. 1976.

*Antrittsrede vor der Akademie der Wissenschaften und der Literatur Mainz.* Gehalten am 17. 10. 1975.

*Rede zur Verleihung des Bremer Literaturpreises.* Gehalten am 28. 1. 1977. «Frankfurter Rundschau», 5. 2. 1977.

*Wider eine Zukunft der Selbstvergessenheit.* September 1978. «Frankfurter Rundschau», 4. 9. 1978.

*Enkheimer Reden.* 1978/79.

*Rede in Gorleben.* Gehalten am 12. 3. 1977.

*Rilke.* 6. 12. 1975 in Frankfurt/Main. Hommage à Rilke zum 100. Geburtstag Rilkes. «Insel Almanach auf das Jahr 1977», 1976.

# Nicolas Born

## Die Fälschung
### Roman. 317 Seiten. Geb.

«Ein herausragender Roman... in seiner gedanklichen Intensität und poetischen Evidenz außergewöhnlich. ‹Die Fälschung› ist, so präzise – und dennoch ohne peinliche Besserwisserei – die Topographie Beiruts und der libanesische Krieg beschrieben wird, ein Buch über Deutschland, welches, ohne daß der deutsche Herbst als künstlerische Dauereinrichtung bemüht wird, die Vereisung erklärt. Hoffentlich wird es gelesen und nicht nur ‹rezipiert›.»

Michael Krüger, Die Zeit

## Die erdabgewandte Seite der Geschichte
### Roman. rororo Band 4370

«Eine der großartigsten literarischen Leistungen der letzten Jahre... Lesearbeit von einer quälenden und zugleich befreienden Intensität, wie sie nur in seltenen Glücksmomenten in Gang kommt. Wer überhaupt auf Borns Prosa anspricht, der wird sich dem Sog nicht entziehen können, der von ihr ausgeht und den sie immer wieder neu erzeugt.»

Lothar Baier, Westdeutscher Rundfunk

# Rowohlt